DR. JULIANO PIMENTEL

ANSIEDADE

Ansiedade: o fim da escravidão

1ª edição: Junho 2022

Autor:
Juliano Pimentel

Preparação de texto:
Vitor Donofrio (Paladra Editorial)

Revisão:
Daniela Georgeto

Foto de capa:
Mariana Tessaroto

Projeto gráfico e capa:
Jéssica Wendy

DADOS INTERNACIONAIS DE CATALOGAÇÃO NA PUBLICAÇÃO (CIP)

Pimentel, Juliano
Ansiedade : o fim da escravidão / Juliano Pimentel. – Porto Alegre : Citadel, 2022.
240 p.

ISBN 978-65-5047-117-0

1. Ansiedade 2. Saúde mental 3. Bem-estar I. Título

22-2680 CDD 158.1

Angélica Ilacqua - Bibliotecária - CRB-8/7057

Produção editorial e distribuição:

contato@citadel.com.br
www.citadel.com.br

DR. JULIANO PIMENTEL

ANSIEDADE

O FIM DA ESCRAVIDÃO

Descubra o que nunca te contaram sobre a ansiedade e aprenda como eliminá-la de vez da sua vida

CITADEL Grupo Editorial
2022
PERFIL

SUMÁRIO

PREFÁCIO

Escrever um prefácio sempre é uma atividade com duplo contexto para mim: responsabilidade e orgulho. Escrever o deste livro, em especial, ainda tem um terceiro item: princípio de vida. E por que falo disso? Porque é um livro que trata de assuntos de grande importância em nossas vidas, mas acima de tudo é uma obra sobre saúde.

Eu tenho e sigo uma filosofia que é: "Saúde, família e trabalho, não inverta a ordem". Durante alguns anos da minha vida eu coloquei o trabalho em primeiro lugar, e os resultados, no médio prazo, não foram da maneira como eu quis. E isso aconteceu após o encerramento da minha carreira como atleta profissional de natação. Coloquei foco apenas no trabalho, engordei 22 quilos, desenvolvi inflamação celular e até um nódulo cancerígeno apareceu na minha tiroide. Foi um inferno mental, astral, emocional e físico. E pasmem, tudo isso com um ex-atleta de seleção brasileira e mestre em ciências do esporte. Ou seja, não fui poupado porque ninguém é. Se a gente negligencia o maior de todos os nossos ativos, que é a nossa saúde, estaremos fadados a todas as consequências que isso pode trazer a qualquer um de nós.

Portanto, começar a descrever a importância de uma obra como essa tem peso significativo para mim, mas acima de tudo para os leitores que vão entender em profundidade os benefícios, malefícios e as consequências de uma vida saudável, como também não saudável.

O Dr. Juliano é a pessoa certa para tratar esse assunto, mas não espere que ele seja neutro em suas palavras e sutil com você. Não, não será assim. O Juliano sabe o que fala, como fala, para quem fala, mas, principalmente, no que ele acredita. Desde a sua carreira como profissional da saúde até suas experiências de vida que reforçam ainda mais o que ele acredita. Ele vai te tratar como adulto.

Aqui está mais uma das suas inúmeras contribuições. Se você ligar seu Instagram pela manhã no perfil dele, enquanto toma seu café da manhã, se prepara para trabalhar ou, quem sabe, troca seu filho para ir para a escola, poderá ter uma aula sobre saúde mental, física, cognitiva e espiritual com ele. Todos os dias ele está lá, focado, generoso e tocando na ferida de muitas pessoas com um único intuito, a cura.

Eu já tive a oportunidade de fazer algumas *lives* com ele, participar de palestras e dividir palcos ao lado dele, e posso dizer com certeza: o Dr. Juliano vai te provocar, questionar, causar inquietude, e vai dar certo. Esse será o método que ele usará para garantir que você compreenda nas páginas a seguir que a nossa mente, sem a conexão com nosso corpo, pode adoecer uma vida inteira. Que nossa essência é tão sábia, mas que nossos pensamentos podem abafá-la, e até provocar doenças físicas que carregaremos para o resto da vida. E isso tem que acabar!

Temos o poder e a capacidade de mudar nossa realidade e nosso entorno por meio dos pensamentos e sentimentos que iremos criar, e neste livro você vai aprender a fazer isso de maneira definitiva. São inúmeras as reflexões e os aprendizados. Será uma viagem e tanto no mundo da saúde, com o olhar voltado para um assunto que precisa ser tratado com atenção: a ansiedade.

O mundo está cada vez mais ansioso. O Brasil é um dos países que mais sofre com ansiedade e depressão no mundo. Entenda, afeta todas as pessoas, e muitas, pode acreditar, nem sabem que sofrem disso. Quando eu vi o maior atleta da história dos Jogos Olímpicos, o nadador Michael Phelps, assumir que teve depressão severa por anos, parei para refletir com profundidade: "Peraí, se o Phelps tem e reconhece que a depressão esteve presente em sua vida, imagina para nós, meros mortais?". Esse assunto é tão forte que frases como "It's ok not to be ok" (Está tudo bem não estar bem) circulou no mundo esportivo. E quando a gente pensa nesses campeões, imaginamos mentes blindadas, impenetráveis. Pois bem, não é assim, não funciona dessa forma. E existe hoje uma preocupação mundial para a gente aprender a lidar com a ansiedade e a depressão.

Esta obra é mais uma daquelas poderosas ferramentas que está em suas mãos agora. E será perceptível, nas próximas páginas, que não servirá somente para você. A vontade de explicar e até mesmo presentear alguém com um exemplar deste livro será recorrente. E o motivo é simples: estamos aqui para servirmos uns aos outros. É da essência humana esse tipo de conduta.

Aproveite a jornada, dê mais um passo na compreensão de si mesmo e torne-se ainda mais saudável. Vocês estão em ótimas mãos. Um grande abraço e bom voo.

– Joel Jota

APRESENTAÇÃO

QUEM TEM GOVERNADO A SUA MENTE, VOCÊ MESMO OU A SUA ANSIEDADE?

Apesar de ser uma condição natural e fundamental na história da construção humana, a ansiedade há muito tempo deixou de ser parte de um sistema fisiológico instintivo de ação para ocupar o corpo, a mente e a alma de grande parte da humanidade.

QUEM TEM GOVERNADO A SUA MENTE: VOCÊ MESMO OU A SUA ANSIEDADE?

Mas o que será que mudou desde então para que um número crescente de pessoas deixasse de viver com plenitude a própria vida, tornando-se cada vez mais refém do medo, da ansiedade e da depressão?

Em *Ansiedade: o fim da escravidão*, você vai finalmente entender por que vive como um escravo da sua mente, que insiste em estar desconectada do seu corpo; por que sente que sua energia está sendo drenada ao longo do dia; por que adoece mesmo quando tem certeza de que está fazendo de tudo para não encarar uma doença.

Se você chegou a este livro, é provável que já tenha se sentido ansiosa ou ansioso em algum momento da vida. Até certo ponto, ok, isso é natural e esperado, principalmente porque a ansiedade, em determinado grau, é benéfica, no sentido de gerar movimento produtivo na vida do indivíduo. Mas você já parou para analisar o que é considerado aceitável do ponto de vista da saúde?

Sem contar a agitação, a fadiga e a sensação de frustração e impotência diante de um mundo cada vez mais colapsado por ameaças como a pandemia que nos pegou de jeito.

Antes que você comece a sentir ainda mais ansiedade, já lhe asseguro que, à medida que avançar na leitura deste livro, você encontrará a resposta de como é possível reassumir os rumos da sua própria vida e viver livre da ansiedade patológica.

INTRODUÇÃO

NÃO É “POR QUÊ?”. É “PARA QUÊ”

Já fazia cinco anos que Carol e eu havíamos nos despedido dos métodos contraceptivos, e pensávamos que, se fosse para vir um bebê, ele viria no melhor momento. Estávamos no auge da nossa saúde, ela tendo emagrecido mais de 40 quilos desde que aderiu ao método de emagrecimento que criei especialmente para ela, a fim de que nos casássemos do jeito que sonhava. Seguíamos trabalhando juntos e cada vez mais realizados por ajudar dezenas de milhares de pessoas a cuidarem de sua saúde plenamente.

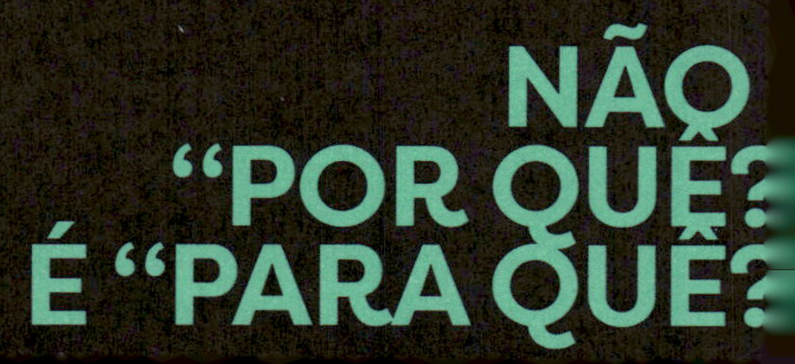

Certa manhã, com a menstruação atrasada, o tão esperado resultado positivo chegou. Era final de 2019, e esse "positivo" foi muito celebrado. Mas o que ninguém imaginava era que, na sequência, todos nós encararíamos o surto mundial da Covid-19. E que, para nós, o pior ainda nem havia chegado...

Apesar de ter uma excelente saúde, Carol enfrentou muitas reações no corpo durante a gestação. Uma coceira insuportável e generalizada passou a acompanhá-la, a ponto de os médicos a diagnosticarem com sarna. Lá se foram noites sem dormir.

Aos oito meses de gestação, minha esposa teve de lidar com alguns sustos por conta da saúde de meu sogro, que enfrentou picos de pressão alta e por três vezes precisou de auxílio médico. Não obstante, ainda se preocupou com a saúde do nosso cachorro, que quase ficou cego de um olho, e por aí vai... Um desafio atrás do outro.

Mesmo com tudo convergindo para que ela ficasse cada vez mais ansiosa com uma gestação nada tranquila, em meio à infinita quarentena e à intermitente ameaça de um vírus desconhecido, Carol se manteve firme. Não teve medo, não se afundou na ansiedade.

Mas e quando chega uma "sentença de morte"?

Cerca de um mês após o parto, nossa bebê precisou de suplementação, pois não pegava no bico do seio para mamar. Além disso, Carol ainda sentia a mama muito estranha. Desde a primeira mamada na maternidade, percebemos um caroço grande em sua mama esquerda, e todos falaram que deveria ser o leite.

Sabe aquela famosa intuição de mulher? Como ela percebeu que o caroço não sumia, certo dia, ao fim de uma mamada, me pediu para que verificasse novamente, desta vez com a mama completamente esvaziada.

Lembro como se fosse hoje! Uma semana antes, tinha sentido em meu coração que deveria intensificar as orações. Assim que apalpei a sua mama, olhei diretamente em seus olhos, já sentindo que algo não estava bem. Fui começando a entender o porquê daqueles sentimentos. Na mesma hora, com os olhos marejados, ela falou: "Vou entrar em jejum!".

Daquele dia em diante foi tudo muito rápido. Carol foi submetida a uma ultrassonografia que mostrava uma imagem bem estranha, e ali mesmo o médico a biopsiou, levando a amostra ao laboratório. Enquanto isso, liguei para nosso amigo, Dr. Raphael Brandão, e no dia seguinte fomos a São Paulo para uma consulta e uma bateria de exames.

Quando Carol abriu aquele envelope, o mundo desabou. A sensação era de que já não havia um chão sob os nossos pés. Essa foi a primeira reação que tivemos ao receber o diagnóstico de câncer de mama, um mês após o nascimento da nossa filha. Era um tumor de sete centímetros, que a fez imediatamente pensar que iria morrer e deixar a nossa família sozinha, deixar nossa bebê de um mês de vida para que eu cuidasse sozinho.

Em uma situação como essa, toda a adrenalina do corpo dispara automaticamente. Não há espaço para o controle de nossas glândulas suprarrenais, então tudo fica afetado. Inevitavelmente, a respiração, o sistema cognitivo, o suor, a palpitação, o frio na barriga e os tremores acabam aparecendo. Há espaço apenas para uma esmagadora ansiedade que insiste em nos atirar para um momento futuro, que existe apenas na nossa mente, e em nenhum outro lugar.

A incerteza recaiu sobre a nossa cabeça. O sentimento era de desespero, de impotência. Naquele dia, nos deparamos com o caos. Enquanto Carol gritava "Por que, meu Deus? Por que, meu Deus?", já desmontada no chão, eu vivi quinze segundos em um profundo pânico, que pareceram horas. Mas, passado esse choque, como um raio que me atravessava ao meio, acudi minha esposa e, tomado pela paz que transcende o entendimento, peguei-a pela mão e disse: "Não é *por quê*? É *para quê?*".

Há muitos momentos desafiadores na vida de todos nós. Eles podem vir na forma de uma grande mudança que se impõe em nosso caminho, como uma perda, uma separação, uma doença ou uma série de outros "medos" que surgem em nosso interior. Mas a grande questão é: como você reage diante dos acontecimentos da vida?

Se a sua resposta é se encher de preocupações que lhe tiram o sono, afetam seu rendimento, mudam completamente a sua rotina e acabam com a sua saúde, sim, você é mais um ansioso ou ansiosa patológico.

Contudo, se você se dedicar atentamente à leitura e concluir cada um dos exercícios propostos neste livro, aprenderá não somente a identificar e a desarmar os gatilhos potencialmente perigosos dos mais variados quadros ansiosos, mas também mudará para sempre a sua resposta em relação à ansiedade.

Nos próximos capítulos, você verá como a ansiedade tal qual a conhecemos foi construída, quais são os medos que a alimentam e a fortalecem, descobrirá quais são as diferenças entre ansiedade e depressão, como a sua imunidade é afetada pela ansiedade, se os medicamentos são a solução e, principalmente, aprenderá quais são as regras do jogo para que você mesmo possa mudá-lo e, assim, transformar a sua vida, como Carol e eu fizemos nessa batalha contra o câncer e em muitas outras.

CAPÍTULO 1

UMA CONSTRUÇÃO BASEADA NO MEDO

De fato, Deus não nos deu um espírito de medo, mas um espírito de força, de amor e de sabedoria.

(2 Tm 1:7)

A ansiedade faz parte da construção da história humana. Só chegamos até aqui porque a ansiedade tem atuado em nossa evolução. Ainda nesse contexto, assim como as pessoas falam que a obesidade está intimamente relacionada à seleção natural, a ansiedade também tem o seu papel nessa história. Mas, afinal de contas, por quê?

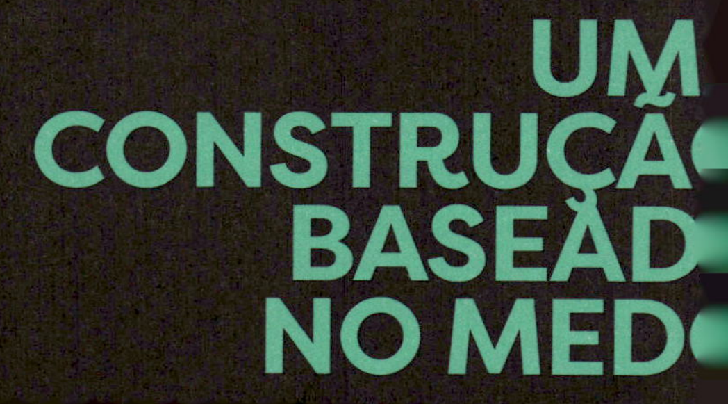

UMA QUESTÃO DE SOBREVIVÊNCIA

Para entender a ansiedade, voltemos ao começo de tudo. Nos primórdios da civilização humana, para que uma pessoa se protegesse dos perigos, como, por exemplo, do ataque de um predador, ela precisava antever o que poderia acontecer e, então, construir uma armadilha para manter sua vida a salvo. Essa "preocupação" era uma questão de cuidado. Contudo, ao mesmo tempo que ela antevia os perigos, não podia permanecer paralisada, afinal, precisava agir sobre eles. Era uma questão de sobrevivência.

Naquela época, isso era feito de maneira natural pelos nossos ancestrais, era saudável e intermitente. Mas o que acontece agora, nos tempos atuais, é bem diferente. Hoje, as pessoas estão presas num contexto de ansiedade porque depositaram toda a confiança delas em tudo que acontece no mundo externo. Esse distanciamento gradativo da nossa essência agravou-se à medida que a sociedade evoluía, do ponto de vista industrial e tecnológico, mas regredia no aspecto comportamental, principalmente no que diz respeito a si própria, ou seja, no campo do autoconhecimento.

Quer um exemplo simples? Respiração. Hoje o que mais constatamos é a inabilidade de muitas pessoas simplesmente respirarem de maneira correta. Elas perderam esse recurso natural e intrínseco, ou seja, próprio do nosso ser, que as permitia alterar seu padrão físico e mental diante de uma situação de estresse, e passaram a abrir espaço para o pensamento compulsivo, o automatismo nas ações e a persistência por antecipar o desconhecido, embaladas por uma velocidade cada vez mais vendida como um benefício pelo mundo ao seu redor.

Toda vida se inicia em um ato de inspirar, seguido de um grito forte. No entanto, quando falamos em respiração, é preciso analisar outro ponto: a cada movimento de respiração, ficamos mais próximos da morte, assim como cada dia pode vir a ser o nosso último. E, como você descobrirá mais adiante, uma das formas mais agravadas de ansiedade tem relação com um dos nossos maiores medos: o da morte.

> “ A mente escraviza o corpo em um turbilhão de pensamentos sem fim.

Agora, se você está se perguntando qual é o papel do medo na ansiedade, já aviso que quase sempre ambos estão intimamente ligados.

A sombra do medo

Qual é a sensação que você tem quando sente medo? Padrões reacionais como taquicardia, arrepios pelo corpo, suor excessivo e falta de ar geralmente são os mais comuns. Agora, busque se lembrar de um evento no qual você se encontrou em um estado de extrema ansiedade. É provável que você tenha experimentado essas mesmas reações e até mesmo outras descarregadas pela via corporal. Isso ocorre basicamente porque a origem da ansiedade patológica reside em nossos principais medos, que, por sua vez, são instintivos, ligados ao lado mais primitivo da nossa mente, que desde sempre faz parte de nós.

Ser ansioso além do que é considerado natural é o mesmo que viver à sombra do medo. O medo em si é um mecanismo de defesa, tal como a ansiedade natural. Sua função é primordial contra os perigos que podem ameaçar a nossa existência. O medo nos impede, por exemplo, de nos expor a riscos, como andar numa savana em meio a leões famintos ou comer frutos silvestres potencialmente venenosos. O medo sempre se incumbiu de nos manter numa zona de segurança. Porém, as pessoas foram gradativamente se tornando ansiosas ao permanecerem presas num solo fértil para armadilhas, o qual está dentro delas mesmas, denominado "mente".

As faculdades mentais são responsáveis por gerenciar todas as nossas funções do dia a dia. Por meio dos processos cognitivos, vamos aprendendo cada vez mais sobre uma série de atividades, acumulamos conhecimento e armazenamos histórias que formarão o nosso repertório. No entanto, esse funcionamento pode começar a apresentar falhas quando os gatilhos do medo passam a emitir alertas associados a duas faculdades mentais específicas: **memória** e **imaginação**.

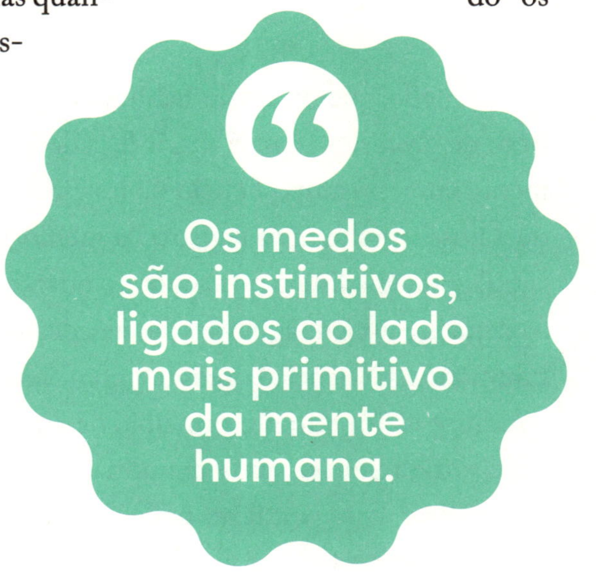
"
Os medos são instintivos, ligados ao lado mais primitivo da mente humana.

O medo, que até então habitava em nós apenas como um instinto de proteção, passa a surgir fora de hora, sequestrando a nossa mente em um campo fictício da imaginação, ou ainda aprisionando a nossa mente num registro da memória.

Agora, imagine o que acontece quando um indivíduo fica preso demais a uma imaginação desencadeada por alguma experiência traumática. Criações da mente potencialmente danosas começam a surgir, e assim temos o princípio da ansiedade. E quando a mente se torna refém de uma memória, ainda mais de uma memória traumática? Essa condição pode desencadear uma depressão, que manifesta um estado profundo de desconexão com a vida.

Na tentativa de evitar os medos causados pelo mergulho na memória e na imaginação, as pessoas normalmente buscam em seu arredor as respostas para o que estão sentindo e que muitas vezes não conseguem descrever. As buscam nas demais pessoas que as cercam, nas circunstâncias da vida, se distanciam a todo momento de si mesmas e assim permanecem justamente para não terem que olhar para dentro, pois esse processo exige mudanças internas e por vezes gera dor.

Você se lembra das dores do crescimento dos seus ossos? Durante a adolescência, ocorre o esporão de crescimento e, por vezes, as crianças se queixam de dores nos braços, pernas e joelhos, pois estão sentindo seus ossos esticando e seus músculos se desenvolvendo. Se sentimos as dores do crescimento do nosso corpo, por que você acha que seria diferente no que diz respeito à mente e ao espírito?

Dá trabalho? Dá! Isso exige energia, reorganização de hábitos e cuidados diários, mas enquanto as pessoas não olharem para dentro de si mesmas e enfrentarem seus medos, vão continuar vivendo de uma maneira superficial, encarando as situações sem profundidade e sem respostas genuínas para suas ansiedades.

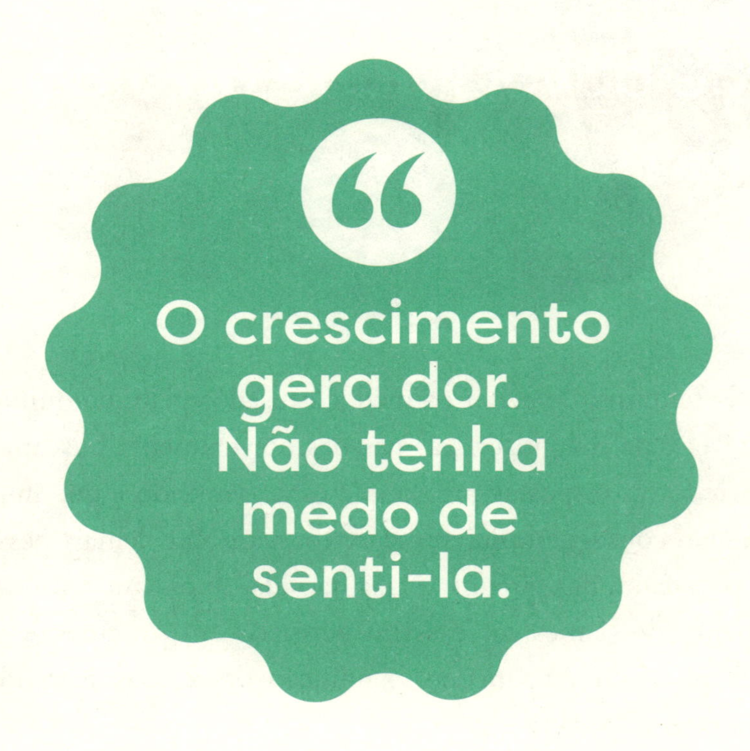

“
O crescimento
gera dor.
Não tenha
medo de
senti-la.

A ansiedade sempre esteve com a humanidade, e faz parte de um mecanismo de defesa. Contudo, nos momentos de adversidade da vida, aqueles de maior tensão, há possibilidades vigentes em nossa mente que não são agradáveis, pois elas nos remetem ao medo e nos levam à ansiedade.

> Quando você não reconhece quem é você diante de alguma trava, o medo pode aparentar ser muito maior do que realmente é.

Uma vez entendendo que a ansiedade e todas as suas derivações têm origem nos medos exacerbados, como podemos combatê-los para começarmos a nos descolar desse circuito medo-ansiedade? O primeiro passo será aprender a identificá-los um a um para, em seguida, saber como lidar com eles.

Antes de prosseguirmos, é importante enfatizar que você não vai parar de sentir medo, pois, assim como a ansiedade, ele muitas vezes atua como um mecanismo de sobrevivência. No entanto, isso não significa que você deva andar na inconsequência, tampouco que deva se deixar paralisar pelo medo.

> O medo é apenas uma parte da sua imaginação, e essa parte jamais poderá ter poder sobre o seu todo. Em outras palavras, você é muito maior do que o seu medo, e exatamente por essa razão todas as tentativas ilusórias de um medo gigantesco que paralisa a sua vida só ocorrem em sua mente. Dessa maneira, suas sombras, traumas e memórias passadas, que forjaram o alicerce desse medo e fazem com que você não reconheça quem você é diante daquilo que te trava, devem cair por terra.

OS SETE PRINCIPAIS MEDOS

Conforme dito no início deste capítulo, a ansiedade é parte da nossa constituição humana e possui uma função natural de preservação da espécie por meio de nossos instintos e daquilo que aprendemos. Mas quando é que ela deixou de ser algo próprio da nossa natureza e passou a virar doença? A resposta está exatamente nos medos que decidimos abraçar e não conseguimos soltar.

Em minhas pesquisas acerca do que a humanidade tem buscado fazer para libertar o ser humano da prisão da ansiedade, identifiquei **sete medos** que considero como os principais na vida do indivíduo: medo da rejeição, medo da incapacidade, medo da doença, medo da humilhação, medo da escassez, medo do abandono e medo da morte. Todos eles são capazes de desencadear os mais diversos quadros ansiosos quando não tratados devidamente, e, neste livro, falarei sobre cada um e sobre como você pode dominá-los, começando pelo **medo da rejeição**.

O MEDO DA REJEIÇÃO

Quantas vezes na sua vida você já sentiu o medo da rejeição, aquele medo de não ser aceito? Assim como para muitos, para a minha esposa Carol o contato com o medo da rejeição não foi diferente. A história que compartilharei a seguir foi vivida por ela quando iniciou sua comunicação com o público pela internet, mas observe atentamente qual caminho ela optou por seguir diante desse primeiro medo.

O poder dos resultados

A ansiedade, quando provocada pelo medo da rejeição, é capaz de esvair todo o poder genuíno de uma pessoa.

Antes de se tornar uma das influenciadoras digitais mais importantes da área de saúde e bem-estar do Brasil, Carol ainda tinha muitos problemas com sua autoimagem. Ela havia chegado aos 103 quilos duas vezes, mesmo após ter recorrido à cirurgia bariátrica. E, mesmo já tendo emagrecido um tempo depois, ainda morria de vergonha de aparecer na frente da câmera. Só de eu mostrar a câmera para a Carol, ela gaguejava, travava, paralisava completamente. Tinha medo de se expor, medo do que as outras pessoas iriam achar dela, medo de ser "cancelada" antes mesmo de começar o seu trabalho na internet.

O fato é que tudo o que criei relacionado à saúde e ao emagrecimento e que já ajudou centenas de milhares de pessoas foi por amor a ela, que queria chegar ainda mais linda para o nosso casamento. Então criei todo um método para que ela emagrecesse como desejava. E, quando comecei a construir meu trabalho na internet, percebi que precisava da minha esposa ao meu lado.

Naquela época, disse a Carol: *"Meu amor, as minhas redes sociais estão juntando muito mais gente que busca mais um rostinho bonito do que um profissional que possa transformar a vida delas. E eu preciso da minha esposa do meu lado, porque a sua presença vai inibir as assanhadas".*

Esse processo basicamente consistiu em expor a Carol a algo muito importante: o nosso relacionamento. E foi assim que ela veio para a internet.

Quando eu dei um propósito a ela, ou seja, a manutenção do nosso relacionamento, quando eu pedi a ajuda dela para algo que a motivava na vida e vibrava em seu coração, isso se tornou muito maior que o seu medo, fazendo com que ela construísse um canal com mais de 200 mil pessoas no YouTube e um Instagram com mais de 300 mil pessoas, ajudando centenas de milhares de mulheres com o seu trabalho.

Ao combater o medo da rejeição evidenciado pela trava inicial diante das câmeras, ela finalmente havia começado a fechar feridas que estavam abertas havia muito tempo por conta do seu passado. Mas tudo foi um processo. Um processo de aceitação, libertando-se do medo de ser rejeitada, de se desvencilhar do passado, para que enfim desabrochasse para quem ela verdadeiramente era. Carol ainda não conhecia a si mesma até então. Tanto que, em uma de nossas duas únicas brigas na vida, ela falou: "Por que você está comigo? Por que você não termina?". Respondi simplesmente: "Porque eu me apaixonei pela mulher que você nem sabe que é". Tempos depois, e já vivendo plenamente, Carol pôde me dizer que a salvei de tantas formas que ela nem conseguia conceber.

O amor, que tudo cura, fez com que ela superasse o primeiro grande medo que paralisa muitas pessoas. Ela se movimentou, mesmo experimentando as dores do crescimento da mente e do espírito, para estar ao meu lado, auxiliando em meus projetos, sem que eu jamais tomasse a frente naquilo que era primordial para ela enquanto ser humano, a fim de que rompesse com seus próprios medos. E, depois, tudo foi se desenrolando naturalmente, porque os resultados satisfatórios foram surgindo em decorrência de um bom trabalho. Então, nada melhor do que resultados para ver a vida fluir.

“

Resultado cura!

Quando você estabelece
micrometas e obtém
pequenas vitórias,
ESTAS CONQUISTAS
geram pequenos resultados que
SIMPLESMENTE CURAM.

”

O medo da rejeição pode aparentar ser intransponível, mas isso é apenas uma questão de aparência. Assim como para outros desafios na vida, o importante é estabelecer micrometas e se concentrar em executá-las. Micrometas são como os degraus de um lance de escada a serem escalados um a um; e, de degrau em degrau, você alcançará sempre um novo patamar. Cada degrau é uma pequena vitória que deve ser comemorada. Depois, comemore o lance de escada que acabou de conquistar, pois ele constitui a sua meta. Por fim, após vários lances de escada, você terá chegado a seu objetivo. Quando você toma consciência de cada micrometa que compõe uma meta inteira, tem mais clareza de como alcançar seu objetivo.

> “
>
> Toda aceitação gera libertação!

STÁ TUDO BEM
OCÊ TER MEDO.
OCÊ SÓ NÃO
ODE DEIXAR
UE O MEDO
E DOMINE.

Ao confrontar o medo de forma gradual, chegará um ponto em que ele se dissipará naturalmente. Não à toa, Deus não nos deu espírito de medo, e sim de poder e de amor. Carol apenas se libertou de todo aquele sentimento paralisante e se tornou verdadeiramente quem ela era em qualquer ambiente quando enfim entendeu que, ao olharmos para o nosso passado com maturidade, **toda aceitação gera libertação**.

Mas nos debrucemos por um instante sobre essa questão. Por que uma pessoa trava diante de seus medos? Por que ela fica ansiosa? Simplesmente porque anseia pela aprovação alheia ao se deparar com o aparentemente pavoroso medo da rejeição.

Agora eu te pergunto: quem disse que você precisa da validação de alguém para ser aceito? Sei que muitas vezes isso pode parecer estranho, mas você já foi aprovado antes mesmo da criação do mundo por aquele que conhece cada fio de cabelo de sua cabeça e cada anseio do seu coração! Agora, se Deus já aprovou você, quem há de lhe desaprovar? E que tipo de aprovação você busca?

Quando você se liberta da necessidade da aprovação alheia e faz as coisas do seu coração, não se preocupando com o que o outro vai achar sobre o que você está fazendo, torna-se livre de toda a timidez e da vergonha que estão enraizadas no medo e sua consequente ansiedade.

Quando o medo aparece, desencadeia uma série de manifestações de ansiedade no indivíduo, que ao transporem um tênue limite acabam fazendo com que ele perca todo o seu poder. A pessoa até pode ter resultados, mas, ao continuar arrastando consigo a ansiedade impulsionada pelo medo, nunca chegará muito longe. Ela pode, por exemplo, construir um palácio para jamais ser chamada de pobre novamente, mas o fará baseando-se no medo de não se sentir aceita. Por fim, seu castelo será uma belíssima prisão construída sob o jugo do medo!

Observe o que aconteceu durante a pandemia da Covid-19. Todos nós fomos continuamente bombardeados por notícias catastróficas, que chegaram ao ponto de deixar todo mundo em pânico, como quando anunciaram 1,4 milhão de pessoas mortas pela doença em 2021. Isso realmente é terrível. Mas você sabe quantas pessoas morreram por medo e ansiedade em 2021? Aproximadamente 43 milhões de vidas foram ceifadas nesse último ano de forma natural ou induzida pelo homem. Entretanto, a maioria esmagadora desses casos ocorreu por meio da prática do aborto cometida por jovens conduzidos pelo medo causador da ansiedade. Os números de jovens que querem gozar de uma vida adulta sem ter a competência para arcar com as consequências de seus atos tem aumentado numa crescente alarmante. No entanto, quando uma sociedade se torna doente de medo a tal ponto de manter as pessoas cada vez mais ansiosas e despreparadas para enfrentar as adversidades da vida e criar filhos, inclusive os protegendo de perigos e atrocidades, o resultado infelizmente é a morte. Quando na sua vida você ouviu alguém falar de aborto relacionado à ansiedade?

A ansiedade realmente
é uma ladra do nosso
hoje, que nos faz perder o
amanhã por simplesmente
nos projetar do agora
para um futuro negativo.
É dessa maneira que ela
nos retira do único lugar
que nos daria respostas,
que é o nosso presente.

”

APRENDA A ENCARAR OS SEUS MONSTROS

Uma vez que a ansiedade em sua forma nociva é desencadeada pelos nossos medos, é preciso entender que ela começa a correr em silêncio pelas beiradas do nosso subconsciente até tomar conta das nossas atitudes conscientes. Pense, por exemplo, nos impulsos que por vezes te acometem. Pode ser uma necessidade incontrolável de comer um doce ou tomar determinada bebida, porque você acha que o conforto momentâneo vai resolver algum problema pelo qual está passando, ou aquela preocupação excessiva que vai chegando perto da hora de dormir, porque você tem certeza de que não vai conseguir pregar o olho, visto que isso já aconteceu antes. Em todas essas situações, você sequer percebeu que já estava dominado pelos controles da ansiedade, projetando-se em fantasias da sua imaginação instaladas num futuro que você ainda não viveu ou arrastando-se por memórias do passado. E, assim, a ansiedade continua a te deslocar do ponto onde se encontra agora, impedindo você de pensar.

Sabe o que acontece quando ficamos impedidos de pensar? O nosso painel de controle da mente assume o "piloto automático", e assim o domínio da sua vida já não lhe pertence mais. O medo excessivo vai se instalando, ganhando corpo e passando a paralisá-lo diante de decisões e tomadas de atitude, impedindo você de seguir uma vida livre dessa escravidão mental que é a ansiedade.

A sua ausência em seu próprio controle de navegação da mente é, na realidade, uma grande armadilha da ansiedade. Por isso, o primeiro passo a ser dado rumo à liberdade dessa prisão é parar de olhar para fora, especialmente na direção de projeções ou lembranças nocivas, fazendo cessar essa insistência por respostas que não existem nesses dois espectros. Depois, é necessário olhar para dentro de si mesmo, buscando entender o "para quê" de cada uma delas. E não o "por quê".

Quando você entende o para que, algo lhe acontece. Independentemente do monstro que apareça em sua frente fazendo com que você queira fugir, lutar contra a ansiedade deixa de ser uma batalha perdida. Pelo contrário, você passa a contar com novos recursos, habilidades que o levarão a alçar voos mais altos, porque, afinal, você passou pela experiência e viu que o medo e a ansiedade são apenas uma parte de você, e não quem você realmente é.

No momento em que um indivíduo confronta cada um de seus medos, invariavelmente terá uma destas duas reações: luta ou fuga. Fugir o manteve onde ele está até hoje. Então, o caminho será aprender que no confronto ocorre a libertação, dentro daquilo que ele crê ser

> **É ao confrontar os medos dentro da sua cabeça que você se libertará da sua ansiedade.**

real em sua vida. Mas lembre-se: o combate ocorre dentro da mente, pois essa luta é interna.

Para combater o inimigo, é preciso dissecá-lo, estudá-lo, entendendo cada pormenor para nos fortalecermos diante de seus ataques. Por essa razão, quando as pessoas elencam os maiores medos de suas vidas, quando nomeiam as sensações que se manifestam em seus corações cada vez que elas surgem, quando percebem as emoções, as situações associadas, como, quando e onde esse medo aflora, descobrem o gatilho que dispara a ansiedade em seus corpos. Com esse simples fato, cada ser humano começa a ter uma clareza maior sobre si, bem como um estado de consciência e percepção mais apurado para que então possa intervir diretamente na raiz do problema.

O medo mora no intelecto das pessoas, tendo a ansiedade como sua inquilina na parte emocional. É assim que ela assume uma série de valores negativos, como desprazer, irritabilidade e angústia no campo das emoções. Sendo uma construção intelectual, a ansiedade é constituída com base em suas experiências passadas, relacionadas às memórias que você tem, ou de acordo com os "arquétipos",[1] os modelos em sua essência pura e simples que permeiam a sua vida.

No entanto, uma vez em desequilíbrio, a ansiedade é capaz de desconectar o ser humano de sua essência, evidenciando um claro descontrole das emoções e das faculdades mentais.

A percepção do que lhe agrega ou não, a percepção que transcende o entendimento, está há muito tempo desligada em virtude do desequilíbrio da ansiedade. Você já viu um cachorro ou um gato comerem tudo o que lhes é oferecido? Mesmo que estejam morrendo de fome, eles nem sempre vão aceitar, caso seu instinto lhes oriente para não

---

1. Arquétipo é um conceito muito explorado na filosofia e na psicologia para demonstrar padrões de comportamento vividos por um personagem ou um papel social. Basicamente, a mãe, o sábio e o herói são exemplos de arquétipos, e todos esses "personagens" têm características que são percebidas de maneira semelhante por todos os seres humanos. (N.A.)

o fazer. Já o ser humano, mesmo sendo dotado de discernimento e, por isso, mais evoluído na escala animal, ainda assim é capaz de comer qualquer coisa que lhe deem ou ouvir qualquer porcaria que coloquem para ele escutar, pois, diferentemente dos animais, que não se desconectaram da inteligência e de sua essência que se manifestam e conduzem toda a vida, as pessoas estão cronicamente desconectadas.

Quando nos reconectamos a essa inteligência universal, que alguns chamam de Deus, outros de Fonte Criadora do Universo e tantos outros nomes, a vida flui em naturalidade e sincronicidade.

O segredo para a liberdade não é você estar pronto para qualquer coisa que aconteça, mas entender que nada tem poder sobre seu coração, a não ser que você permita.

Toda resistência à libertação é uma resistência à vida. Enquanto a pessoa resistir à transformação de si própria, passando pela mudança do que pensa e sente, continuará limitada e escrava dos medos que a trouxeram até o presente momento.

Se você ficou chocado com essa afirmação, acostume-se com isso. Você só deixará de ser escravo da ansiedade ao transformar a sua vida. Comece pelas suas escolhas, entenda como se alimenta física, mental e espiritualmente, conceitos que abordarei neste livro.

O combate à ansiedade começa quando você resolve encarar seus medos. Se não tiver energia para esse confronto, busque forças olhando as coisas de forma mais simples, como pequenas micrometas a serem conquistadas. Isso fortalecerá seu íntimo para feitos ainda maiores.

Você precisa entender que as pequenas vitórias reconectam sua essência ao mundo das realizações. É justamente por causa da desconexão com a sua essência sagrada que muitas pessoas estão neste momento presas ao mero aspecto mental e corporal de suas vidas. Consequentemente, essa desconexão com a fonte da qual provém a vida é o que mantém você simplesmente sobrevivendo, e não vivendo em abundância.

Reflita comigo: normalmente, queremos consertar as coisas que nos aparecem; buscamos ajustá-las quando julgamos que não estão legais. Contudo, na verdade temos é que "consertar" a nós mesmos, para garantir que esteja tudo bem, independentemente do que aconteça. Você vai ajustar as coisas de acordo com o seu estado interno. Isso não significa que você tenha que se conformar com o mundo, mas a sua percepção será tão diferente que ele já não será mais capaz de afetá-lo. Perceba quão profunda é essa constatação:

“QUANDO UM INDIVÍDUO É LIVRE DE VERDADE, ELE PERMITE QUE O OUTRO TAMBÉM SEJA LIVRE, MESMO NO ERRO”.

A única coisa que você pode fazer é se tornar amor. Com isso, a sua vida pode ser um exemplo convidativo de transformação para o próximo. Mas como mudamos para nos transmutarmos em amor? Simplesmente ajustando a nossa visão.

A partir do momento em que a pessoa ajusta sua visão, ela percebe que, na realidade, não existe erro. O que existe é uma curva de aprendizagem. Nós fomos doutrinados a pensar que estamos sempre errando, mas isso é um grande equívoco! Acontece que estamos apenas aprendendo, cada um em seu ritmo. Mas, infelizmente, algumas pessoas continuam errando no mesmo ponto.

Minha filha, agora com um ano de idade, caiu em média dezesseis mil vezes até aprender a andar, aos nove meses. Isso mostra que o ser humano aprende a se jogar e a evitar a queda, aprende a se proteger da queda, mas não aprende a andar logo de cara. Ele se joga no mover, para alcançar seu objetivo, mas para evitar a queda, evitar a dor que está sentindo por não realizar aquilo que deseja, ele aprende a jogar uma perna, aprende a jogar um braço, e então, caindo dezesseis mil vezes, levantando-se outras dezesseis mil, chorando em algumas delas, ele segue em frente até aprender a andar.

Essa gana pela vida não precisa ser ensinada. Ela é nata em pessoas livres, e sem ela não há vida. Em algum momento você desaprendeu a ser quem você era, pois o mundo disse que isso ou aquilo que você desejou estava errado. Grave isto: **É muito mais fácil doutrinar alguém pelo medo.** Mas agora você já sabe de onde vêm as ansiedades.

Por mais que você tenha deixado de acreditar em seu potencial, saiba que você já tem tudo em essência dentro de si. Porém, em algum momento, por algum motivo, trancou essas respostas para nunca mais se machucar. As suas habilidades ficaram temporariamente inacessíveis em algum lugar no seu interior. Mas lembre-se, nada está perdido! Minha proposta com esta leitura é que você resgate cada uma das suas forças sem o peso da ansiedade.

O foco deste livro não é discutir religião, mas é preciso ter em mente que a espiritualidade é peça fundamental no processo de cura do ser humano. E quanto a isso, você crendo ou não, Deus é misericordioso em todas as suas formas, e dentro da sua misericórdia infinita Ele lhe proveu de tudo o que você necessita. É preciso apenas despertar para essa realidade, ou desenterrar o que você soterrou. Está tudo aí dentro, e sempre esteve. Mas, enquanto você insistir em buscar o que está fora, esperando por uma espécie de terceirização do milagre, não será capaz de perceber que todos nós já somos um verdadeiro milagre.

MOMENTO COM O DR. JU[2]

1. **Neste momento, interrompa a leitura por alguns instantes e responda às perguntas abaixo antes de prosseguir. Em que momento você parou de usar as habilidades que Deus deu a cada um de nós e nos fazem seguir adiante mesmo em meio às quedas?**

....

....

....

....

---

2. Algumas dessas perguntas foram extraídas e adaptadas do Questionário DASS-21 (Depression Anxiety Stress Scale 21)

2. Em que momento você permitiu que seus pensamentos o dominassem e, dessa maneira, deixou de ser movido pelo seu espírito? Como se sentiu nessa hora?

....

....

....

....

Se você parar para pensar, o mundo de hoje é movido pela ansiedade. O funcionamento da nossa sociedade é superestimulado o tempo todo, com pessoas envolvidas em atividades sem fim, além da presença de um sem-número de inimigos, como a rejeição, a falta de aceitação, a velhice, a morte. O medo causador de aflições e ansiedades é uma ferramenta oficial de manipulação desde os primórdios.

No entanto, o medo é tão ilimitado quanto o espírito humano, pois é inversamente proporcional a ele. Quanto mais ativado o espírito, menos medo e, consequentemente, menos ansiedade. Quanto menos ativado, menos fé e, assim, mais medo. Então, é como se fosse uma valência em igual proporção, mas pautada pelo desconhecimento e pela não aceitação de quem você é, associada ao desentendimento sobre aquilo que você veio ser aqui. Note como um bicho de sete cabeças pode surgir a partir dessa constatação.

Há mais de um século, o cinema tem se utilizado das grandes emoções humanas para encher os olhos do público. E falando aqui sobre medo, há uma famosa cena em *Harry Potter e o prisioneiro de Azkaban* que apresenta uma analogia perfeita sobre o "bicho-papão". No longa, o bicho-papão é um monstro etéreo que adquire a forma do maior medo de cada aluno da escola mágica, variando de um indivíduo para o outro, ora sendo o professor malvado, ora a aranha gigante, a serpente ameaçadora ou um dementador. Seguindo essa linha de raciocínio, nossos bichos-papões podem adquirir a forma do medo do inferno, da perda de uma mãe ou de um pai, do fim de um relacionamento, da escassez material, medo da morte, da velhice, da doença ou até mesmo da prosperidade.

O medo é multiforme e, com base nesse aspecto, ele acaba levando ao estresse crônico e acumulado em resposta aos contínuos processos de luta ou fuga. Sem uma pausa genuína para que o organismo se restaure, os níveis de estresse que mantêm o corpo em funcionamento começam a gerar problemas em outras estruturas, além de simplesmente só manterem a estabilidade de seu comportamento. Como resultado dessa disfunção por estresse, a pessoa passa a ficar paranoica, neurótica e na defensiva.

Na realidade, o pior do medo é fazer com que você não descubra a sua identidade. Essa é a principal maneira que o diabo – ou seja lá como você deseje nomear a força destrutiva da vida

– encontra para atuar, porque é muito mais fácil parar algo extremamente poderoso em seu estágio inicial do que durante uma verdadeira avalanche em curso. É muito mais fácil interromper o crescimento de uma vida no início do que depois que ela toma consciência sobre quem ela é. Tudo que o diabo quer é parar pessoas espetaculares com coisas muito simples e pequenas, tal qual amarrar um elefante numa cordinha porque ele não sabe o poder que tem, assim como era feito nos circos.

Todas as pessoas em estado constante de ansiedade e depressão vivem governadas por traumas do passado ou por medo do futuro, mas o último lugar onde elas estão é no presente.

”

Tenha em mente que a solução para a cura da ansiedade começa pelo despertar de aceitação. Eu nunca vi, por exemplo, alguém ter raiva de alguma realidade que é condizente com o que ela tem no coração. Eu nunca vi alguém ter medo do que plenamente aceita no coração. Portanto, aceite plenamente a vida a partir do seu olhar interior, porque todo o resto que a gente olha pelo lado de fora é apenas uma construção mental percebida através dos "filtros" que aplicamos no mundo de acordo com a nossa imaginação.

A imaginação é uma faculdade mental que permite ao ser humano sonhar e visualizar. Então, dentro desse contexto, tudo o que temos em nós foi primariamente criado em nossa mente, e tudo ao nosso redor pode ter sido criado e manifestado pela mente de alguém. Imagine da seguinte maneira: sua mente é um terreno fértil, o problema é que muitas vezes você não sabe de onde vieram as sementes que estão sendo plantadas nesse terreno.

MOMENTO COM O DR. JU

3. As sementes que germinam no solo fértil da sua mente foram plantadas por você ou por outras pessoas?

4. Como estavam as pessoas que plantaram essas sementes? Em um estado de medo ou em um estado de plenitude?

....

....

....

....

5. O que mais poderia nascer desse plantio?

....

....

....

....

6. Será que o medo daqueles que mais te amam pode ter contaminado seu coração sem que você percebesse? O que isso gerou em você?

....

....

....

....

É provável que você já tenha ouvido, ou mesmo dito, a expressão "Tenho até medo de pensar". Mas, uma vez sabendo que a fuga dos medos faz com que você fique estagnado, é preciso encarar o desconhecido. Este nada mais é do que a distância entre um pensamento e outro. É nesse terreno inexplorado que se manifesta o silêncio, onde há um vazio, apenas um espaço, que normalmente é ignorado pela maior parte das pessoas. Felizmente, não há nada a temer nesses espaços, já que você pode apenas observar o seu pensamento e mergulhar nessas pausas entre eles em completo silêncio. Isso fará você perceber o mover do pensar e finalmente entender que você não é o que pensa, visto que pensamentos são apenas estados que experimentamos, e esses estados mudam constantemente.

A somatória do pensar e dos silêncios manifesta sua interação com a sua existência na vida. Em outras palavras, você entende que cria o filme da sua vida e determina quando e como ele ocorre em sua cabeça, pois você é o autor, roteirista e diretor dos seus pensamentos.

Quantas vezes você criou um conto de fadas ou um filme de terror em sua cabeça? Em ambas as possibilidades, você sempre será o projetista responsável pelo filme exibido em sua mente. A ansiedade, contudo, quando se apresenta em uma intensidade inadequada, faz com que isso gere um sofrimento, um prejuízo funcional. Uma pessoa que sofreu um trauma e não conseguiu se libertar dele acredita que o trauma define quem ela é. Mas não se esqueça: seu passado não define o que você é nem o que os outros são.

> **Se você tem uma vida plena, parabéns! Você a criou dessa maneira. E se você tem um inferno vivo, parabéns, pois você também o criou.**

MOMENTO COM O DR. JU

7. Quais são os filmes e/ou histórias que você tem criado em sua mente?

8. Com que frequência eles têm sido projetados em sua "tela mental"?

Enquanto você não se libertar em seu coração de todas as amarras que criou, ainda será escravo das ilusões que você vive.

”

Antes de avançar para o próximo capítulo, faça uma análise do primeiro medo apresentado, o **medo da rejeição**. Essa etapa marcará os seus primeiros passos para a libertação da ansiedade.

O medo da rejeição é bastante profundo, podendo estar ligado ao ser humano desde a vida uterina e se manifestar em qualquer ambiente.

Quando você não se sente parte de algo, a rejeição toma conta do seu intelecto, causando uma forte sensação de não pertencimento que, de modo geral, persiste ao longo de toda a vida e na maioria das vezes está ligada desde a fase gestacional até a primeira infância.

Com base nisso, quero que você pense em três situações que você carrega em seu coração nas quais o sentimento de rejeição tenha ocorrido de maneira profunda, e então as anote. Em seguida, descreva um propósito, um motivo verdadeiramente forte, que seria capaz de libertá-lo desse sentimento.

1

....

....

....

....

....

....

....

2

3

CAPÍTULO 2

ANSIOSO OU DEPRESSIVO?

"E fez o homem à sua imagem e semelhança, para dominar todas as coisas..."

(Gn 1:26)

"... Mas antes, o homem tem que dominar o seu próprio coração."

(Juliano Pimentel)

Como vimos no início deste livro, a ansiedade foi um processo natural do ser humano, pois desde sempre o estresse esteve presente no cotidiano das pessoas. Certa dose de ansiedade está ligada à manutenção da vida e à nossa produtividade. É normal, portanto, que você se sinta triste, angustiado e que apresente alguma alteração emocional de vez em quando. De repente, você pode ficar meio apático em determinado momento, sentindo-se cansado, esgotado ou irritado. Contudo, permanecer assim o tempo todo é sinal de alerta.

Quando uma pessoa passa a encarar a realidade como se tudo tivesse perdido a cor, restando apenas um mundo preto e branco, temos aí um claro indício de que ela está perdendo o prazer e o interesse por suas atividades, ou seja, nada mais lhe dá tesão. Ao desconectar-se da vida, podemos afirmar que essa pessoa ultrapassou o limite da ansiedade e está agora sofrendo de uma síndrome depressiva – lembrando que síndrome é um conjunto de sinais e sintomas que apresentam uma fixação em determinados padrões.

Em se tratando de um assunto tão discutido, talvez você esteja se perguntando se a ansiedade sempre se torna depressão, afinal, os sintomas são similares. Veja, quando a ansiedade é sustentada em um alto nível, ela acaba gerando um esgotamento corporal que tende a culminar em depressão ou em *burnout* – estafa generalizada do indivíduo, responsável por comprometer todas as suas funções físicas, mentais e emocionais. Quando uma pessoa se encontra exaurida a esse ponto, a ansiedade pode desencadear uma depressão.

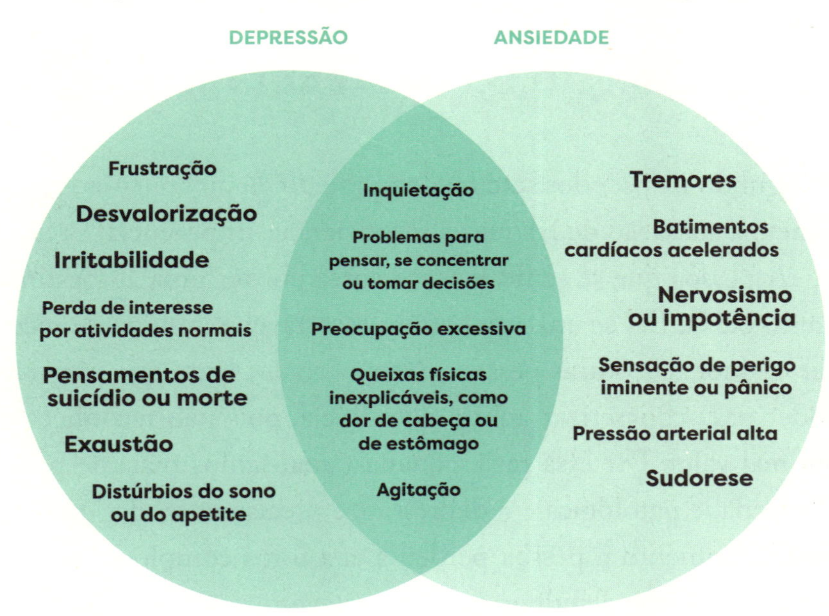

As pessoas em estado depressivo nem sempre são facilmente diagnosticadas, pois apresentam quadros bem diferentes. Como mostrado nessa esquematização, a ansiedade e a depressão sempre terão uma intersecção, mas a apresentação completa é diferente. Tanto o ansioso como o depressivo podem ser agitados, ambos podem se preocupar muito e apresentar dificuldades para descansar, se concentrar, pensar ou tomar decisões. Algumas pessoas podem ainda apresentar queixas sistêmicas de que muito provavelmente não serão diagnosticadas corretamente durante uma consulta de rotina.

A essa altura, por mais que a pessoa pare tudo o que estiver fazendo, ela se sente cansada. Não tem um sono reparador, não consegue se recuperar. Vêm então a preocupação excessiva e o medo.

Por falar em medo, você já conheceu o que o medo da rejeição é capaz de causar. Mas o que será que o **medo da incapacidade** pode fazer na vida de uma pessoa?

O MEDO DA INCAPACIDADE

O segundo na lista dos sete medos, o **medo da incapacidade**, nos remete à sensação de fraqueza, insuficiência, impotência.

A pessoa que se sente incapaz sofre por ter uma autoestima muito baixa. Ela se enxerga como descartável e indigna de receber o amor das outras pessoas. Nesse estado, sente que não tem poder para concretizar aquilo que deseja, pois não reconhece o seu real valor. Por essa razão, quando analisamos mais de perto a ansiedade patológica e a depressão, é preciso entender que em algum momento a pessoa perdeu a sua força completamente, e pode até mesmo acreditar que nunca teve forças para sair da situação que a afundou, e tudo isso invariavelmente é potencializado pelo medo da incapacidade.

Mas lembre-se: não precisa ser assim.

A história que você vai ler a seguir pertence à Karin, uma das primeiras alunas da mentoria que realizo com foco em saúde plena. A partir do exemplo dela, quero mostrar a você como é possível não se deixar derrotar pelo medo da incapacidade e, consequentemente, se libertar das garras da depressão.

STÁ TUDO BEM OCÊ TER MEDO. OCÊ SÓ NÃO ODE DEIXAR UE O MEDO E DOMINE.

Descobri enfim que podia ser amada

Eu batalhei contra a depressão a minha vida inteira. Aos 10 anos de idade, quando estava numa praia com toda a família, pensei: *"Por que é que eu não morro?"*. Eu ainda me lembro bem de ver meus pais e meus irmãos à beira da praia e esse pensamento me invadir assim, de repente. *"Por que é que eu não morro agora?"*. Eu tinha apenas 10 anos, e esse pensamento voltava de tempos em tempos.

Fui uma criança que cresceu em meio a muitas dificuldades de relacionamento, principalmente com a minha mãe. Apanhava muito dela, brigávamos constantemente. Eu sofria com oscilações de humor que me faziam acordar bem e, cinco minutos depois, ficar com ódio do mundo. Passados outros cinco minutos, era capaz de sair cantarolando.

Minha mãe sempre dizia que eu não queria arranjar marido porque eu era muito volátil, mas quando completei 19 anos eu me casei, e a vida parecia ter dado uma trégua durante os meus 20 e poucos anos. Eu me sentia bem, e me casei porque queria sexo, e naquela época o jeito de se conseguir relações sexuais era se casando. Além disso, eu já estava na faculdade e queria sair de baixo da asa da minha mãe.

Fiquei cinco anos casada com meu primeiro marido, até que ele disse que queria ir morar na casa da mãe dele e, como não concordei, ele foi e eu fiquei. Depois disso, conheci o pai do meu filho. Felipe nasceu quando eu tinha 26 anos de idade. Logo depois que tive meu filho, passei a sentir muito sono, então dormia dia e noite. Eu e ele ficávamos praticamente o dia todo dormindo. Mesmo depois de colocá-lo na creche, aos 5 meses, para que eu conseguisse voltar a trabalhar, foi uma fase muito difícil, pois ainda sentia aquele sono e muito cansaço. Já não tinha mais vontade de nada, eu não queria mais aquela vida, pensava em dar o menino a alguém.

A vida novamente não estava nada boa. Então, quando fiz 35 anos, migrei para os Estados Unidos e lá conheci meu segundo marido, o Charlie. Estava então com quarenta anos de idade, e os pensamentos de morte voltaram a se tornar recorrentes, além daquele terrível mau humor e sono constantes. Preocupado com aquela situação, Charlie me incentivou a buscar ajuda psiquiátrica, ainda que ele mesmo não tivesse muita fé no tratamento. Na ocasião, fui diagnosticada com depressão, e daquele momento em diante passaram-se mais de vinte anos em que vivi à base de medicações. Sempre começava com determinada dosagem, até que não fizesse mais efeito e as dosagens fossem ajustadas ou o medicamento substituído.

Segui dessa maneira até dezembro de 2017, quando então cheguei a pesar cem quilos, já diabética e com o colesterol alto. Comecei a tomar remédio para colesterol, para diabetes, e tudo aquilo me fez sentir muito medo de ficar cega. Então, resolvi buscar algo que pudesse me ajudar a recuperar a saúde, e foi assim que encontrei os conteúdos do Dr. Juliano no YouTube. Tudo o que ele falava fazia muito sentido. Algumas coisas eu já conhecia, como os perigos do açúcar, mas as informações sobre o glúten eram novidade para mim.

Realizando os cursos, o detox e o jejum, cheguei a setembro de 2018 pesando 75 quilos. Minha diabetes desapareceu, meu colesterol normalizou e não precisei tomar mais medicações. Mas foi em dezembro daquele ano, durante um evento do Dr. Juliano em Orlando, EUA, que tive a minha virada de chave. Surgiu a oportunidade de realizar uma jornada de transformação de uma semana, e me lembro de ter ingressado no evento sem muitas expectativas, mas logo nos dois primeiros dias de aula, durante uma meditação guiada, que achei que tivesse durado não mais que dois minutos, quando na verdade durou 45, eu me senti amada pela minha mãe e pelo meu filho. Apesar de não me lembrar da meditação em si, houve um processo de perdão, pois me senti leve, bem e amada.

Eu nunca entendi como é que as pessoas poderiam me amar, mas naquele momento eu me senti amada. E, após todo o processo de reeducação pelo qual passei, finalmente fui vencendo a depressão. Antes de viver essa experiência, era como se a minha cabeça vivesse dentro de um balde cheio de óleo usado de carro. Depois de toda a mudança de hábitos na minha vida e da meditação, foi como se esse óleo se tornasse limpo, desaparecendo em seguida. Pela primeira vez eu comecei a ter espaço na minha cabeça, o que antes não existia para mim. Tudo era sempre muito difícil, os meus pensamentos não andavam, e eu tinha que fazer muita força para pensar. Mas, depois de toda a transformação que aceitei viver, senti um enorme alívio. Foi realmente como se o peso que eu perdi no corpo também tivesse se esvaído de dentro da cabeça.

Desde 2019 vivo sem nenhuma medicação para a depressão, e tudo na minha vida só melhorou. Comecei a ser mais fluida no pensar, a ser bem-humorada, menos implicante. Meu marido percebeu toda a minha mudança de peso e de humor, pois nunca mais acordei com aquele mau humor miserável que me fazia apenas querer dormir. Passei a acordar leve, capaz de encarar o banho gelado – até de madrugada! – e sem querer morder ninguém depois disso!

Karin K., 65 anos, Nova York, EUA.

ESCRAVOS DA MEMÓRIA E DISTORÇÃO DA AUTOIMAGEM

Depressão não é fraqueza. O fato é que o indivíduo em depressão passa a canalizar toda a sua energia em um sentido e direção específicos que não o ajudam em nada. Convenhamos, uma pessoa com esse tipo de poder sobre sua própria vida é um ser humano incrível. Sempre ensino aos meus alunos que a história deles não determina aquilo que eles são, e meu papel é mostrar a cada um que suas vidas são uma possibilidade plena que se renova a cada dia! A liberdade da Karin começou a partir da aceitação dessa nova forma de pensar.

Quando o ser humano é escravo de sua memória, ele não consegue sair de sua "biblioteca mental", então passa a vida toda dentro dela. Mas essa "biblioteca" foi projetada para que você acesse informações quando quiser, a fim de analisar algo que você vai utilizar no presente, e não para ficar enfurnado dentro dela.

E assim chegamos a outro aspecto, que é o fato de o depressivo não entrar em ação. Ele vive dentro da mentira que construiu para si próprio, dentro de uma mentira de dor, um filme de terror, sem compreender que detém o poder pleno para construir o que quiser em sua mentalidade.

Retomando a história de Karin, ela finalmente foi descobrindo como entrar e sair de sua própria biblioteca mental. Além disso, pela primeira vez na vida, ela também aprendeu que estava diante de um processo de alteração de sua autoimagem e autoestima por conta da depressão. O processo de libertação de quem ela pensava que era a permitiu buscar o caminho da perda de peso e do restabelecimento de sua saúde, o que consequentemente a levou a enxergar uma saída para sua prisão mental.

O passado
não define
quem você é,
nem quem
os outros
são!

A **autoimagem** pode ser resumida em como você vê a si mesmo, e a **autoestima** é como você se relaciona com o que você vê. Quando uma pessoa para de se ver bem, existem duas possibilidades: ou ela se nega ou ela se aceita.

Lembra? Toda aceitação gera libertação! Quando a pessoa não se aceita, acaba ficando irritada, muitas vezes desenvolvendo raiva, inconformada com aquilo que vê do lado exterior. Mesmo com todo mundo dizendo que ela é capaz de realizar algo, dentro de si ela acredita que não é. E aí se inflama, porque a única coisa realmente capaz de irritar o ser humano é ele se deparar com uma realidade de mundo que confronta seus valores imutáveis.

O que precisa ficar claro é que, quando a pessoa em estado depressivo se irrita, ela abandona a posição de apatia, elevando sua energia, mesmo que de uma maneira limitada. E isso ocorre porque, em seu íntimo, ela sabe que é capaz de feitos incríveis, por mais que intelectualmente isso lhe pareça tão distante.

> **"Irai-vos, mas não pequeis.**
> **Que não se ponha o sol sobre vossa ira."**
>
> (Ef 4:26)

Você já se perguntou por que a maioria das pessoas acometidas por depressão sabe o dia e a hora em que ela começou? Isso revela seres humanos que não foram preparados para o combate e as adversidades da vida. Se a pessoa sabe com exatidão quando começou, isso pode nem mesmo configurar depressão em si, mas sim a vivência de um evento traumático que ela não conseguiu superar. Por exemplo, a morte de um ente querido, uma traição da pessoa amada, a perda de um filho, as dificuldades financeiras. E por estar com o corpo doente, intoxicado e enfraquecido pelos hormônios alterados, ela não consegue suplantar os desafios, pois lhe falta energia. Quando digo que o ser humano é fraco, não me refiro especificamente à fraqueza emocional, mas à fisiológica.

Você sabia que o Butão é um dos países mais felizes do mundo? Localizado no extremo leste do Himalaia, o Butão não apresenta um índice relevante de depressão. E sabe por quê? Porque lá os habitantes têm o costume de refletir sobre a morte, em vez de ignorá-la ou tratá-la como tabu[3]. Com isso, os butaneses, convidados a pensar sobre a morte cinco vezes ao dia, a encaram como parte da vida. Quando você entende a finitude da sua vida, valoriza cada segundo.

3. Disponível em: https://www.bbc.com/portuguese/noticias/2015/05/150504_vert_tra_butao_felicidade_ml. Acesso em: maio 2022.

GAME CHANGING

Quantas pessoas são curadas de doenças intratáveis por elas mesmas? Casos de cura espontânea estão presentes em toda a medicina. Quando a pessoa decide viver cada segundo de maneira única em amor, tudo é possível. Por que grande parte das pessoas se transforma com a paternidade, a maternidade, com experiências de quase morte ou, ainda, com algum diagnóstico ou acidente?

Simplesmente porque toda grande percepção de vida e morte iminente pode ser um *game changing*, ou seja, uma virada de jogo na vida da pessoa.

Se você sabe quando e
em que situação decidiu
viver no passado a fim
de evitar a dor de um
presente que não aceita,
você tem em suas mãos a
chave da sua libertação!

Se neste momento você já está preocupado por estar se identificando com algum (ou vários) dos sintomas apresentados na figura da p. 63, preste atenção e responda às seguintes perguntas:

MOMENTO COM O DR. JU

1. Os sintomas que você identificou paralisam a sua vida? Comente.

2. De que maneira você lida com esses sintomas em seu dia a dia?

....

....

....

....

....

....

....

....

....

....

....

....

....

NÃO É SÓ UMA QUESTÃO DA MENTE

Quando pensa sobre os estados depressivos e ansiosos, a maioria das pessoas os encara apenas como uma questão da mente. Mas não é bem assim que funciona. Ambos também têm relação com os hormônios. Então, a mente, os hormônios e várias outras áreas da vida sofrem alterações por conta da ansiedade. O cortisol, popularmente conhecido como o "hormônio do estresse", a melatonina, ou "hormônio do sono", e até a temperatura basal são alterados diante de processos ansiosos, e o indivíduo precisa organizar cada um desses aspectos para que no fim das contas sua vida não seja atrapalhada como um todo.

Apesar dessas alterações metabólicas, a boa notícia é que para tudo isso a solução é muito mais simples do que você imagina, pois, ao desarmar os medos listados neste livro, aplicando os conceitos que ensinarei em cada capítulo, você terá tudo o que precisa para mudar o que quiser na sua vida.

Por fim, lembre-se de que a ansiedade e a depressão mudam em alguns aspectos a percepção do ser humano em relação aos fatos. Uma é guiada pela imaginação, e a outra pela memória. Ambas navegam pelo mesmo mar, os hormônios e o corpo, que responde como pode a essas alterações. Uma ansiedade crônica mantida por muito tempo desgasta o corpo a ponto de virar uma depressão. Há situações em que a pessoa não entende que já se encontra em um quadro depressivo, ao mesmo tempo que sempre foi ansiosa e depressiva por causa de traumas.

Além disso, tanto os ansiosos como os deprimidos não conseguem responder positivamente ao estresse. Porém, como já afirmei no início deste livro, o estresse faz parte da vida, e uma pessoa precisa ser capaz de lidar com os altos e baixos. Senão, o que será dela? A resposta está nos próprios aspectos do ser, em tudo aquilo que constitui um ser humano. Em como esse ser, a partir de seu intelecto, significa tudo, encara todas as coisas, mergulha em todas as situações e em como ele as interpreta em seu íntimo no dia a dia, para que isso desencadeie um efeito tanto físico quanto emocional e social. Em toda situação da nossa vida somos convidados a uma expansão.

Imagine um leão solto na rua, bem distante de você, e perceba como se sente. Agora, imagine que ele está à sua frente. Se ele estiver longe, ainda é uma ameaça em potencial, o que poderá gerar ansiedade e uma reação inicial de medo. Agora, se o leão estiver bem perto, talvez o pânico se instaure, desencadeando, assim, o processo de luta ou de fuga. (Ainda bem que a maioria dos medos não diz respeito a um leão de verdade à nossa frente!) Tamanha descarga de adrenalina faz com que não consigamos gerar uma adaptação correta dos sentimentos, e o segredo para isso está na transcendência alcançada pura e simplesmente pela respiração.

No próximo capítulo, você vai descobrir como utilizar uma das ferramentas mais poderosas para conquistar o domínio de si mesmo e interromper de maneira imediata os sintomas ansiosos que atacam o seu corpo.

CAPÍTULO 3

A PORTA DE SAÍDA

"O Espírito de Deus me fez; e o sopro do Todo-Poderoso me deu vida."

(Jó 33:4)

Nos capítulos anteriores, você conheceu mais de perto a ansiedade, entendendo que sua origem remete ao início da espécie humana e que seu desequilíbrio pode causar estragos ainda maiores, como a ansiedade patológica e a depressão maior.

Uma vez entendido o seu funcionamento, chegou a hora de você conhecer a principal ferramenta da qual poderá lançar mão sempre que deparar com a ansiedade do dia a dia. Essa ferramenta é trabalhada e conhecida há mais de 8 mil anos, e a sua vida se iniciou com ela. Conheça a respiração, a porta de saída da sensação de aprisionamento causada pela ansiedade.

A ansiedade, até determinado ponto, é esperada, em função das expectativas diante dos acontecimentos da vida. Somado a isso temos o estresse, que é desencadeado por uma série de fatores internos e externos como cobranças, uma rotina extenuante, medos. É possível que você já tenha passado por isso ou então que conheça alguém que já vivenciou situações de grande estresse, como a perda de um ente querido, uma demissão ou qualquer outra mudança radical que tenha provocado uma crise de ansiedade. Você já parou para prestar atenção a como a sua respiração se comporta nesses momentos? Se ainda não, quero que a partir de agora passe a perceber sua respiração em todas essas circunstâncias.

Para auxiliar na reflexão sobre sua respiração, responda ao questionário a seguir.

MOMENTO COM O DR. JU

1. **Você já reparou que, ao assumir um estado ansioso, a sua respiração se altera?**

....

....

2. Quando você está ansioso, a sua respiração é curta ou profunda?

3. Ao experimentar um episódio de ansiedade, a sua respiração é lenta ou rápida?

4. Quando você se sente ansioso, a sua respiração é leve ou pode ser percebida por quem está ao seu redor?

O SOPRO DA VIDA

A medicina mais antiga do mundo, a Ayurveda, tem origem indiana. Ela se utiliza essencialmente de meios naturais como ervas, plantas e óleos para o tratamento da saúde e enxerga a respiração como uma camada da vida, na qual a sua própria expressão se manifesta. Essa medicina assume que as pessoas têm um nível de energia proporcional à consciência e à capacidade respiratória.

De acordo com a filosofia judaico-cristã, a vida começou a partir do sopro de Deus. Logo, a vida sempre esteve relacionada à respiração, enquanto a morte sempre foi associada à expiração. Inevitavelmente, todos nós mantemos a respiração como fonte básica de aquisição da energia necessária à vida, e por meio do domínio dessa ferramenta você começará a finalmente se libertar dos grilhões da ansiedade.

Perceba que, no dia a dia, nós não temos consciência da respiração, assim como não temos consciência do coração que bate, de como o olho ou o ouvido funcionam. Quando nossos órgãos estão funcionando corretamente, nós não temos consciência deles. Imagine como seria se tivéssemos que pensar todos os dias para fazer com que cada órgão funcionasse. Não poderíamos fazer mais nada na vida!

Nosso corpo foi preparado para colocar para funcionar aquilo que é necessário de uma maneira ótima. Só que existem situações, como a ansiedade, que fazem seu cérebro acreditar que seu pulmão está respirando corretamente, que você está funcionando de maneira adequada e que aquilo já virou o seu normal, mas não é bem assim. Do ponto de vista neurológico, você simplesmente se acomodou, e o termo é esse mesmo, "acomodação", que consiste em um estado de permanência a uma situação à qual você se acostumou. No caso da respiração, você acredita que está respirando da melhor maneira possível.

Já reparou que, quando cansados, temos um padrão respiratório que envolve uma movimentação maior do tórax? A maioria das pessoas ansiosas e cansadas respira de maneira apical, o que consiste numa respiração com predominância torácica, enquanto aquelas mais calmas tendem a respirar por padrões abdominal e misto.

Para que isso fique mais claro, saiba que a respiração só ocorre pela negativação no pulmão, que pode ser promovida primordialmente pelo músculo diafragma ou pelas costelas, com a ativação de outros músculos.

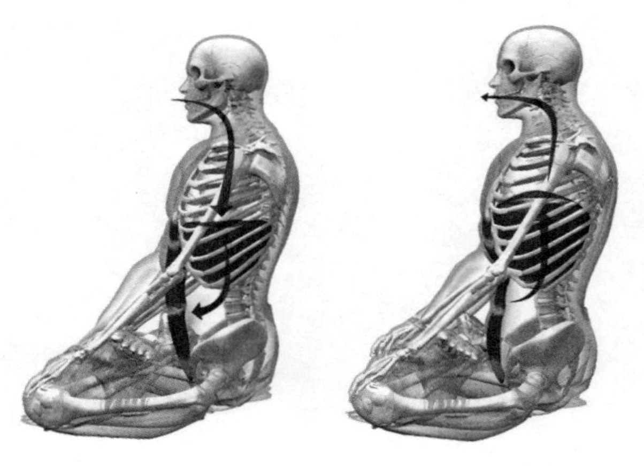

PROCESSO DE INSPIRAÇÃO (À ESQUERDA), QUE ABAIXA O DIAFRAGMA, E DE EXPIRAÇÃO (À DIREITA), EM QUE O AR SAI, MOSTRANDO QUE TODA A ESTRUTURA É MOBILIZADA

A respiração feita pelas narinas, com o diafragma ativado, mobiliza todas as vísceras, além de encher o pulmão desde a sua base. O diafragma se move e mobiliza o fígado, os intestinos, o estômago e o coração. Com isso, altera todas as estruturas do corpo temporariamente por meio da respiração, estufando a barriga.

Apesar de respirarmos incessantemente enquanto estamos vivos, é muito raro que estejamos de fato presentes ao ato de respirar. Entretanto, como já mencionado, esse ato é uma ferramenta capaz de alterar todo o nosso estado diante de uma situação de estresse que resulte em ansiedade, eliminando os sintomas indesejados a partir do momento em que se adota um padrão adequado de respiração.

O depoimento a seguir narra o processo de descoberta e conscientização de uma de minhas alunas em relação à sua própria respiração, o que mudou para sempre a vida dela.

A respiração me salvou

Eu estava para ter um infarto no corredor da faculdade, e a sensação foi horrível. O ano era 2019, e pela primeira vez achei que fosse morrer, isso aos 21 anos de idade. Meu braço esquerdo começou a ficar dormente, e eu lembrei naquela hora de já ter ouvido que, quando o braço esquerdo fica dormente, isso era sinal de infarto. Fiquei com a respiração acelerada, o coração pulando, querendo sair do meu peito. Minha vista estava embaçada, e uma crise de choro se instalou.

Desde bem cedo, a ansiedade me rondava. Fui uma criança conhecida por comer demais nas festinhas e reuniões familiares, apesar dos olhares de reprovação, o que me causava ainda mais compulsão, a ponto de vomitar tudo após tanta comida que ingeria. Além disso, nunca consegui encarar com tranquilidade quando algo novo surgia. Sempre que vinha alguma coisa desconhecida, alguma novidade, eu já sofria por antecipação. Podia ser a melhor coisa do mundo para mim, mas sempre ficava com uma ansiedade enorme, pensando se eu ganharia algo, se aconteceria algo, se teria sucesso ou não.

Era uma rotina constante esse sofrimento antecipado em relação às coisas que aconteciam em minha vida, e isso se refletia diretamente no meu corpo. Algumas vezes, podia ser uma crise de choro. Em outras, parecia que eu adquiria um tique na mão, de tão agitada que ficava. Eu tinha enxaquecas, dores no corpo, quedas acentuadas de cabelo. Eu me sentia derrubada. Mas não entendia que eram crises de ansiedade, até que a maior delas aconteceu, naquele dia em que acreditei que estivesse infartando na faculdade.

Quando finalmente passou aquele mal-estar generalizado, os médicos me explicaram que se tratava de uma crise de ansiedade, pois, apesar de todas as minhas reações corporais, os exames clínicos sempre estavam dentro da normalidade. Antes desse episódio, eu realmente não entendia o que acontecia comigo, mas, ao resgatar outros eventos também intensos do passado, fui assimilando que todos estavam relacionados ao mesmo fator, a ansiedade.

O que me enlouquecia era a tentativa de controlar tudo o que na verdade a gente não controla, pois faz parte da vida. Estudo, trabalho e vida pessoal eram todos alvos da minha vontade de querer controlar, e quando chegou a pandemia da Covid-19, em 2020, tudo piorou. As crises se tornaram recorrentes, em função do isolamento social. Eu gritava, trancada no quarto, para ver se esse sentimento saía de mim. Passado esse estado mais intenso, na sequência eu me perguntava por que havia feito tudo aquilo. Eu me sentia a pessoa mais fraca do mundo, e estava destruída.

Não importava onde eu estivesse ou qual fosse a situação, tudo poderia mudar em questão de segundos. Certa vez, cheguei para uma aula de pilates já em um estado nada bom, pois horas antes havia recebido uma ligação do meu irmão falando que a nossa mãe estava no hospital, pois havia passado mal em casa. Mesmo após ter ligado para ela e me certificado de que estava tudo bem, a minha cabeça não estava na aula, e a impotência diante da série de exercícios me fez sair correndo aos prantos para o banheiro da academia, onde me acudiram. Eu mal conseguia falar, mas quando soltei a palavra “ansiedade”, com uma voz entrecortada, o professor me levou para um local bem arejado. Eu precisava de ar para voltar a respirar.

Hoje eu digo que a respiração me salvou, porque só me libertei desse martírio no dia em que finalmente aprendi a respirar. Tudo começa pela respiração. Minhas crises eram muito marcadas pela falta de ar, então quando enfim aprendi o que era a respiração, por meio da primeira aula de meditação, a vida mudou para sempre. O episódio da academia foi o último, pois dali em diante passei a pôr em prática os exercícios de respiração aprendidos na primeira imersão que fiz com o Dr. Juliano, durante a Travessia, que me fizeram entrar em contato com a minha respiração, e isso me relaxou completamente.

Raphaela Barreto, 23 anos, João Pessoa-PB.

MEDO DO ABANDONO

Nos capítulos anteriores, foram apresentados medos como o da rejeição e da incapacidade, e quando falamos em padrão respiratório, o grau de energia e vivacidade está intimamente correlacionado a sentir medo. Assim como o seu estado mental tem poder sobre a sua respiração, a respiração também tem poder sobre o seu estado mental. Contudo, o grande xis da questão é que a respiração não é sobre a mente. A respiração é uma ponte da mente para o espírito. Colocando em prática a respiração consciente ao se encontrar em um estado ansioso, isso não somente rompe o seu padrão da ansiedade como também gera uma ponte para a possibilidade de libertação do sofrimento. Inúmeros alunos relatam que, em determinadas respirações feitas em processos meditativos, experimentam em seus corpos os mesmos sintomas que aparecem durante uma crise de pânico. No entanto, durante a meditação, a percepção dessas respostas corporais pela mente se torna muito diferente e livre do medo.

Quer ver outro medo que é desmascarado por meio da respiração consciente? O medo do abandono. O medo do abandono é um fruto da imaginação de que precisamos de outras pessoas para nos completarem. Contudo, isso acontece quando não temos conexão com Deus, então realmente nos vemos sozinhos sem os outros. Dessa maneira, a pessoa acaba precisando de outras, e, paralelamente a isso, somos seres sociáveis; é por isso que, na base de tudo que vivemos e acreditamos, existe a família, de acordo com o contexto judaico-cristão. Mas ainda que vivamos em família, o medo do abandono só não será uma ameaça quando entendermos que nossa plenitude não depende de mais ninguém além de nós mesmos e nossa conexão com Deus.

Na história que você verá a seguir, pertencente à minha aluna Luzia, o medo do abandono ficou evidenciado por perguntas como: "Será que eu não fui boa mãe o suficiente?", "Será que não fui o suficiente e eles tiveram que ir para outro país para tocar a vida deles?". Mas observe como, a partir da virada de chave do seu padrão respiratório, que principiou todas as outras mudanças do seu estado mental, ela se libertou do seu maior medo, colocando um ponto-final na ansiedade.

Amarras do abandono nunca mais

Ao longo da minha vida, sempre considerei tudo muito complicado. Diabetes, pressão alta, osteoporose, tiroide descontrolada sempre foram condições que me acompanharam, mas a pior de todas foi a depressão maior. Eu me casei, constitui família, e quando minhas filhas, que eram tudo na minha vida, cresceram e se casaram, elas seguiram seus caminhos, escolhendo morar fora do país, e foi aí que o mundo desabou de vez em minha cabeça.

Eu simplesmente não aceitava o fato de que elas haviam crescido e precisavam cuidar de suas próprias vidas. O sentimento era de que eu havia perdido a minha razão de viver. Logo, os sintomas de uma ansiedade e depressão profunda começaram a me abater. Todos os dias se tornaram cinzas, e os pensamentos de que eu havia falhado como mãe, de que eu não tinha sido suficientemente boa e por isso elas tinham me abandonado eram constantes. Eu já não dormia, não saía de casa, comia compulsivamente, e sentia dores generalizadas. O desespero era tão sufocante que por mais de uma vez cheguei a manusear uma arma de fogo que havia em casa, mas graças a Deus tirava o dedo do gatilho no último instante. A minha espiritualidade naquela época estava quase morta, mas hoje entendo que havia ainda um fio de esperança que foi o que me manteve viva, e ao qual eu me agarrei quando conheci o Dr. Juliano, por meio de seus vídeos no Youtube, e passei a seguir seus ensinamentos.

A cada passo que dava nos cursos de imersão que fiz com ele, ia compreendendo que as minhas filhas não haviam me abandonado, e que na realidade eu estabeleci uma relação de dependência delas por alimentar o meu medo da solidão. E as práticas de meditação fizeram me centrar em mim, e cada pensamento depressivo foi se esvaindo da minha mente, dando espaço para a vida plena, me deram consciência de uma vida saudável e abundante, e uma profunda conexão com Deus que me libertou daquele horror era pensar em morte para me livrar da dor.

Foi assim que, no espaço de um ano, eliminei cerca de 45 kg, o que espantou muita gente, pois eu pesava até então 120 kg, me livrei da compulsão alimentar, das dores físicas e principalmente das emocionais e espirituais. Quando enfim me dei conta de que aquele abandono que eu sentia era uma mera fantasia da minha cabeça, impulsionada pelo medo que eu apenas projetava ser maior do que eu, a ansiedade desapareceu, assim como a depressão cessou. Meus pensamentos pararam de ser arrastados para lugares sombrios. Com a paz reestabelecida, hoje a ligação com as minhas filhas é ainda maior, livre do peso do apego e das amarras do medo de ser abandonada, pois vivo em plenitude comigo mesma, sabendo que sou uma mãe ainda melhor por deixar minhas filhas viverem livres e realizadas em seus caminhos.

Luzia Maria, 59 anos, Goiás.

* * *

Quando a pessoa coloca o centro da vida dela onde verdadeiramente não é para estar, esperando a retribuição que ela gostaria de ter de quem não pode dar, ela vai sofrer. Luzia, a partir do momento que aprendeu a mudar o padrão do seu estado mental por meio da respiração, mudou completamente seu foco, então por mais que a sua mente tentasse direcionar seus pensamentos para outro lugar, o padrão respiratório adequado que passou a adotar diariamente foi um elemento-chave para que ela libertasse a sua mente do emaranhado de confusões ao qual se mantinha presa.

Em meus processos de jejum, a respiração sempre foi parte integrante de todos os processos de liberação da mente. A maioria das pessoas hoje se encontra escravizada pela mente, como já comentamos.

Agora, você pode se perguntar:

"Como eu deixo de ser escravo da mente se eu tenho que viver do meu trabalho para obter dinheiro?"

"Como deixo de ser escravo da mente se eu tenho que fazer isso e aquilo?"

"Como eu deixo de ser escravo da mente se eu tenho uma lista infinita de coisas?"

Na realidade, você será escravo enquanto não perceber que você mesmo criou essa lista infindável de coisas, e ainda se pauta por ela.

Nesse processo, a respiração é o momento no qual você se abstrai completamente de tudo isso e começa a perceber o seu corpo e a sua mente sem se identificar com seus pensamentos, porque toda **identificação gera limitação.**

"A ÚNICA IDENTIFICAÇÃO QUE VOCÊ TEM QUE TER É COM DEUS, QUE CRIOU TODO O UNIVERSO. QUALQUER IDENTIFICAÇÃO ABAIXO DE DEUS É LIMITANTE."

ABRACE OS SEUS MEDOS

A essa altura, você já deve ter percebido que, para viver livre de ansiedade, é preciso primeiro entender que, independentemente de onde você esteja e de qual situação venha a encarar, precisará abraçar seus medos. Somente assim poderá enxergar que eles não são o monstro que você pinta.

"Mas, doutor, como é que se abraça os medos?", você pode me perguntar. O que posso lhe afirmar é que tudo começa na consciência respiratória.

Primeiramente, você deverá fazer o exercício inicial apresentado neste capítulo. Com isso, passará a ter uma consciência respiratória e corporal e, consequentemente, um maior domínio sobre sua respiração.

No momento em que você começar a exercer esse domínio sobre o seu corpo, sobre sua respiração, se tornará alguém muito mais consciente. A partir disso, poderá assumir que tem consciência do seu estado, e acredita "tenho medo", conscientemente você também é capaz de decidir que está apenas diante de uma situação específica que lhe causa medo, mas que ele não passa de um obstáculo temporário que você tem todas as condições de enfrentar.

> "A única identificação que você tem que ter é com Deus, que criou todo o universo. Qualquer identificação abaixo de Deus é limitante.

Agora que você já tem condições de pensar a respeito do seu estado, responda às seguintes perguntas:

MOMENTO COM O DR. JU

5. Essa situação que me causa medo já ocorreu quantas vezes na minha vida?

6. O que eu tenho que fazer diante dela?

7. Eu vou continuar fugindo? Ou eu vou em direção a ela, principalmente se for uma situação mental?

Cada uma dessas perguntas gera um confronto positivo sobre aquilo que você está passando. O verdadeiro confronto gera libertação, assim como a transcendência também gera libertação.

Já tive alunos que não queriam confrontar a mãe, mas queriam transcender. E adivinha? A transcendência não acontecia! O caminho para a tão desejada renovação interior só ocorre quando você muda completamente seu estado de ser. Você transforma toda a sua existência, tornando-se amor, ou então precisará lançar mão do confronto.

Quando você se transforma em amor é fácil, mas a maioria das pessoas não consegue fazer isso, e por essa razão elas precisam do confronto em **alto nível de energia**.

Para uma melhor compreensão do que significa alto nível de energia, imagine que você represou em seu coração inúmeras coisas que precisavam ser ditas e não foram. Lembre-se de todos os assuntos que deveriam ter sido abordados e que ainda lhe causam incômodo, como fardos pesados que você insiste em arrastar consigo.

Sidarta Gautama dizia que três coisas não conseguem ficar ocultas por muito tempo: o Sol, a Lua e a verdade. Jesus disse: "Conhecereis a verdade e ela vos libertará". Grave essas duas afirmações em seu íntimo, pois, por mais que seja difícil expor tudo o que está em seu coração, essa é a chave da verdadeira liberdade para com aqueles que você ama. Além disso, somente assim você não desempenhará papéis para agradar alguém. Portanto, jamais retenha a comunicação e sempre fale o que precisa, colocando cem vezes mais amor na sua fala!

Na mente estão todas as razões pelas quais você não falou ou abordou algum assunto que precisava e que foi colocado em determinada situação. Tudo o que fica gravado em nossa mente carrega um alto impacto emocional associado. Por essa razão, rasgar o coração, explodindo e fechando em amor, é a solução para se enfrentar o medo na maioria das situações. A explosão deixa fluir aquilo que estava represado em você, e o fechamento em amor gera aquilo que você sempre buscou, que é a **conexão em plenitude**. No nível intelectual, no qual ocorre todo o processo de pensamento, a pessoa promove um embate em que é gerada uma série de significâncias e, por fim, resolve a situação de "vomitar" tudo o que está carregando a fim de aliviar seu coração.

Ainda que esse embate seja um confronto, trata-se de um ato que gera libertação, e por isso mesmo não precisa ser um processo sofrível. Ao recorrer à respiração, acontece gradualmente uma transformação do seu estado mental.

Durante cada respiração, você vai inspirar tudo aquilo que você não tem e de que precisa, soltando todo o resto que carregava, mas que não quer mais em sua vida. Então inspire coragem, confiança, amor, autoestima e poder; e expire medo, abandono, rejeição e traumas.

PRANAYAMA

A medicina ayurvédica usa os pranayamas para alcançar uma respiração correta, capaz de curar e prevenir sérios problemas de saúde, além de purificar e energizar todo o corpo. O prāna, em sânscrito, representa a respiração e a energia vital, que os chineses chamam de chi e os gregos, de ruah. Independentemente da língua e origem etimológica, assumiremos tudo isso como algo que dá força e vida para as células e os órgãos. Assim, os pranayamas são técnicas de respiração que auxiliam o manejo da sua energia vital, harmonizando corpo, mente e espírito. Dito isso, imagine agora que esse sopro de vida que é a respiração está fluindo de alguma maneira no seu corpo, iniciando e terminando em regiões diferentes. Uma forma de categorizar prāna é por meio de vāyus, que significa "vento" ou "ar" em sânscrito. Confira a seguir a lista de vāyus, bem como suas localizações e respectivas responsabilidades:

VĀYU	LOCALIZAÇÃO	RESPONSABILIDADE
Prāna	Cabeça, pulmões, coração	O movimento é para dentro e para baixo, é a força vital da vida. O prāna equilibrado leva a uma mente e emoções equilibradas e calmas.
Apāna	Inferior do abdome	O movimento é para fora e para baixo, está relacionado a processos de eliminação, reprodução e saúde esquelética (absorção de nutrientes). O apāna equilibrado leva a um sistema digestivo e reprodutivo saudável.
Udāna	Diafragma, garganta	O movimento é ascendente, está relacionado às funções respiratórias, fala e funcionamento do cérebro. O udāna equilibrado leva a um sistema respiratório saudável, clareza de fala, mente saudável, boa memória, criatividade etc.
Samana	Umbigo	O movimento é espiral, concentrado em torno do umbigo, como um movimento de agitação, está relacionado à digestão em todos os níveis. Samana equilibrado leva a um metabolismo saudável.
Vyana	Originário do coração, distribuído por toda parte	O movimento é para fora, como o processo circulatório. Está relacionado ao sistema cardíaco. O vyāna equilibrado leva a um coração saudável, circulação e nervos equilibrados.

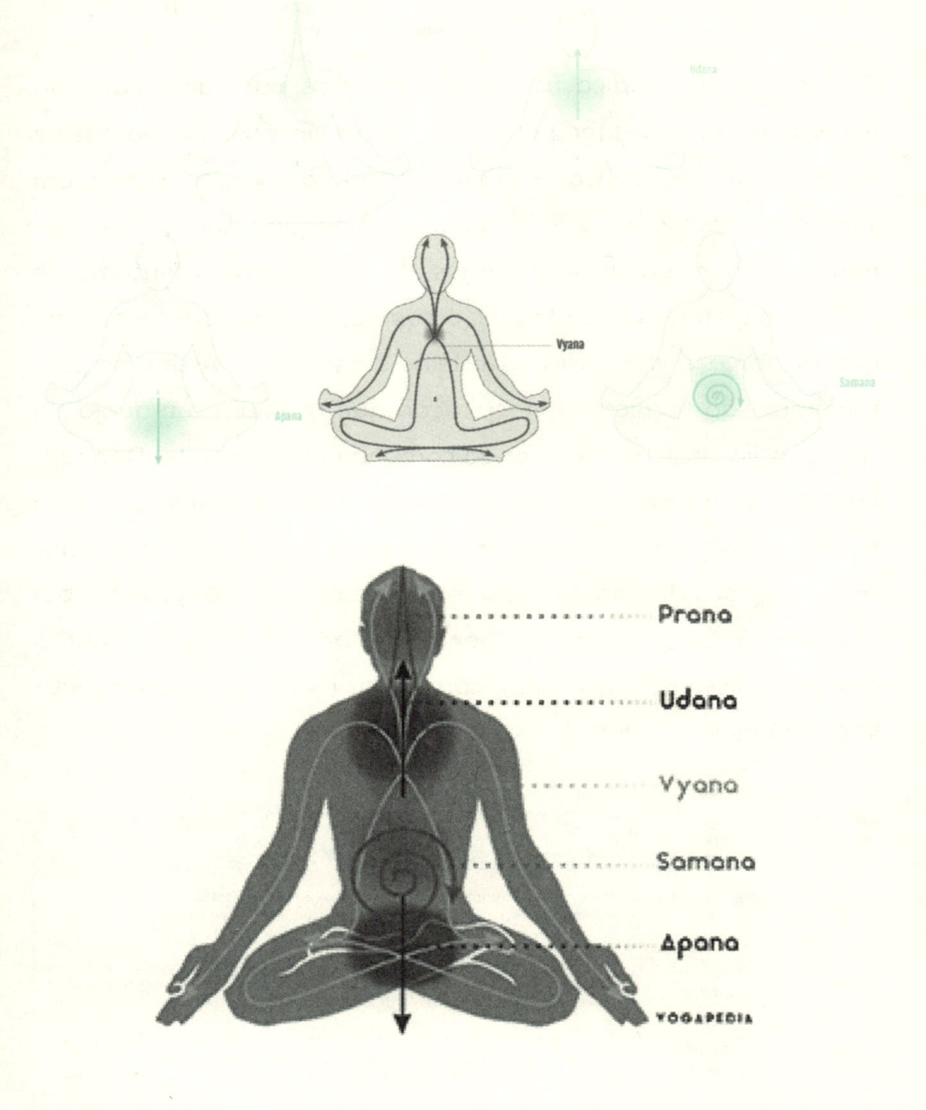

Todos pensam que a respiração é composta de inspiração e expiração. Mas o que faz a inspiração e a expiração existirem é o que ocorre entre elas. Veja da seguinte forma: o que faz cada palavra ter potência é o silêncio que ocorre entre elas. Então, a pausa inspiratória e a pausa expiratória são extremamente importantes para alcançarmos os benefícios que desejamos com as técnicas respiratórias.

EXPIRANDO E CONTRAINDO O ABDOME

RESPIRE E DIGA ADEUS AO DESESPERO

Como vimos na história de minha aluna Raphaela, a falta da percepção da respiração pode causar um desespero tão generalizado a ponto de você crer que está infartando. Então, para começar a se libertar das correntes que você está arrastando por aí, vamos a um exercício bastante simples e poderoso.

Primeiramente, pegue um saco de arroz, feijão ou qualquer outro não perecível de meio quilo ou um quilo. Em seguida, deite-se no chão e coloque o saco sobre a sua barriga, na região do umbigo. Então, respire lentamente por cinco minutos. A cada inspiração – movimento de puxar o ar para dentro –, o saco deve subir, e a cada expiração – movimento de soltar –, o saco deve descer. Esse exercício serve para aumentar sua percepção sobre o funcionamento do diafragma e o domínio sobre ele.

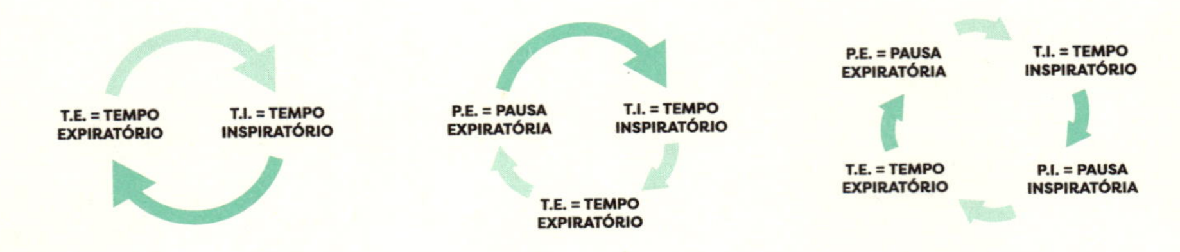

TEMPO INSPIRATÓRIO (TI): TEMPO QUE VOCÊ LEVA PARA INSPIRAR (ENCHER O PEITO DE AR); TEMPO EXPIRATÓRIO (TE): TEMPO QUE VOCÊ LEVA PARA EXPIRAR (ESVAZIAR O PEITO DE AR); PAUSA INSPIRATÓRIA (PI): TEMPO COM O AR PRESO NO PULMÃO SEM EXPIRAR; PAUSA EXPIRATÓRIA (PE): TEMPO QUE COMEÇA APÓS VOCÊ EXPIRAR COMPLETAMENTE

Na figura a seguir, são apresentados os padrões respiratórios. Tenha em mente que você não deve forçar nada, tudo fluirá naturalmente. Recomendo fortemente que, antes de avançar para os estágios intermediários e avançados, você discuta o tema com seu médico ou entre em meu curso sobre ansiedade para ser orientado em sua jornada de maneira mais profunda.

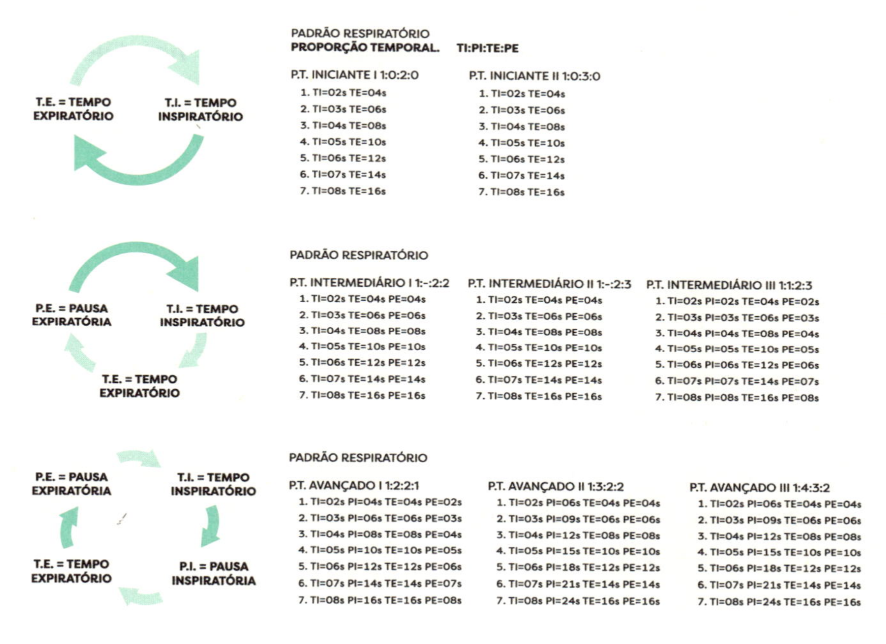

PADRÃO RESPIRATÓRIO
PROPORÇÃO TEMPORAL. TI:PI:TE:PE

P.T. INICIANTE I 1:0:2:0	P.T. INICIANTE II 1:0:3:0
1. TI=02s TE=04s	1. TI=02s TE=04s
2. TI=03s TE=06s	2. TI=03s TE=06s
3. TI=04s TE=08s	3. TI=04s TE=08s
4. TI=05s TE=10s	4. TI=05s TE=10s
5. TI=06s TE=12s	5. TI=06s TE=12s
6. TI=07s TE=14s	6. TI=07s TE=14s
7. TI=08s TE=16s	7. TI=08s TE=16s

PADRÃO RESPIRATÓRIO

P.T. INTERMEDIÁRIO I 1:-:2:2	P.T. INTERMEDIÁRIO II 1:-:2:3	P.T. INTERMEDIÁRIO III 1:1:2:3
1. TI=02s TE=04s PE=04s	1. TI=02s TE=04s PE=04s	1. TI=02s PI=02s TE=04s PE=02s
2. TI=03s TE=06s PE=06s	2. TI=03s TE=06s PE=06s	2. TI=03s PI=03s TE=06s PE=03s
3. TI=04s TE=08s PE=08s	3. TI=04s TE=08s PE=08s	3. TI=04s PI=04s TE=08s PE=04s
4. TI=05s TE=10s PE=10s	4. TI=05s TE=10s PE=10s	4. TI=05s PI=05s TE=10s PE=05s
5. TI=06s TE=12s PE=12s	5. TI=06s TE=12s PE=12s	5. TI=06s PI=06s TE=12s PE=06s
6. TI=07s TE=14s PE=14s	6. TI=07s TE=14s PE=14s	6. TI=07s PI=07s TE=14s PE=07s
7. TI=08s TE=16s PE=16s	7. TI=08s TE=16s PE=16s	7. TI=08s PI=08s TE=16s PE=08s

PADRÃO RESPIRATÓRIO

P.T. AVANÇADO I 1:2:2:1	P.T. AVANÇADO II 1:3:2:2	P.T. AVANÇADO III 1:4:3:2
1. TI=02s PI=04s TE=04s PE=02s	1. TI=02s PI=06s TE=04s PE=04s	1. TI=02s PI=06s TE=04s PE=04s
2. TI=03s PI=06s TE=06s PE=03s	2. TI=03s PI=09s TE=06s PE=06s	2. TI=03s PI=09s TE=06s PE=06s
3. TI=04s PI=08s TE=08s PE=04s	3. TI=04s PI=12s TE=08s PE=08s	3. TI=04s PI=12s TE=08s PE=08s
4. TI=05s PI=10s TE=10s PE=05s	4. TI=05s PI=15s TE=10s PE=10s	4. TI=05s PI=15s TE=10s PE=10s
5. TI=06s PI=12s TE=12s PE=06s	5. TI=06s PI=18s TE=12s PE=12s	5. TI=06s PI=18s TE=12s PE=12s
6. TI=07s PI=14s TE=14s PE=07s	6. TI=07s PI=21s TE=14s PE=14s	6. TI=07s PI=21s TE=14s PE=14s
7. TI=08s PI=16s TE=16s PE=08s	7. TI=08s PI=24s TE=16s PE=16s	7. TI=08s PI=24s TE=16s PE=16s

PADRÕES RESPIRATÓRIOS

Este capítulo foi quase inteiramente dedicado à prática respiratória, pois, se você recorrer à respiração, conforme ensinado aqui, já terá resolvido a maioria dos sintomas desencadeados pela ansiedade. E por falar em resolução de sintomas, no próximo capítulo abordaremos justamente a ansiedade e sua relação com a imunidade. Prepare-se para respirar como nunca pensou que fosse possível na sua vida!

MOMENTO COM O DR. JU

1. Depois de fazer os exercícios de respiração propostos ao longo deste capítulo, além dos disponibilizados nos QR Codes, registre aqui como você se sentiu.

....

....

....

2. Após o registro proposto no exercício anterior, responda às perguntas a seguir:

   a. Por quanto tempo você quer manter esse estado na sua vida? O que está impedindo você de ter esse estado na sua vida?

....

....

....

   b. Você já sentiu medo sem motivo? Como isso ocorreu e por quanto tempo se manteve? Com que frequência isso acontece em sua vida?

....

....

....

c. Você já sentiu que ia entrar em pânico? Como isso ocorreu e por quanto tempo se manteve? Com que frequência isso acontece em sua vida?

....

....

....

d. Você já se sentiu agitado? Como isso ocorreu e por quanto tempo se manteve? Com que frequência isso acontece em sua vida?

....

....

....

e. Teve dificuldade de respirar em algum momento (p. ex., respiração ofegante, falta de ar sem ter feito qualquer esforço físico)? Como isso ocorreu e por quanto tempo se manteve? Com que frequência isso acontece em sua vida?

....

....

....

CAPÍTULO 4

IMUNIDADE AMEAÇADA

“Seja forte e corajoso! Não se apavore nem desanime, pois o Senhor, o seu Deus, estará com você por onde você andar.”

(Js 1:9)

Seria inviável tratar sobre a ansiedade sem abordar sua relação com o sistema imunológico, afinal, a ansiedade é definida por um conjunto de sintomas que ataca o corpo, desestabilizando-o. Uma vez que a função primordial do sistema imunológico consiste em nos defender contra agressores, é indispensável que você compreenda o seu funcionamento.

A partir de agora, você entenderá como esse sistema formado por diversos tipos de células, tecidos, substâncias químicas e órgãos atua sobre seu corpo e cuida de você, protegendo-o especialmente dos ataques proferidos pela ansiedade.

Imagine um cão de guarda cuja função básica é guardar um território, impedindo que inimigos o invadam. Geralmente, esse cão não ataca aqueles que ele reconhece como amigos. No entanto, se estiver com muita fome ou demasiadamente agitado, o que pode acabar acontecendo? Sim, é exatamente o que você está pensando. É possível que o animal ataque alguém da própria casa.

Esse exemplo serve para que você entenda que seu corpo sempre o protegerá, desde que você garanta as condições necessárias para que ele possa fazer isso sem se machucar.

Quando pensamos na relação entre ansiedade e sistema imunológico, o princípio é basicamente este: quando há um desequilíbrio interno no indivíduo, ele também pode passar a atacar a si próprio e se tornar vulnerável a uma série de fatores externos, como, por exemplo, vírus e bactérias.

Para esclarecer esse princípio, tentemos compreender melhor o que é o sistema imunológico humano, assunto que nos últimos tempos tem sido abordado à exaustão. A função básica desse sistema é defender o corpo contra invasores. Uma parte dele nos acompanha desde o nascimento, enquanto outra parte é adquirida, ou seja, criada por meio de células de defesa que reagem perante a exposição a algum perigo (patógeno) potencialmente danoso ao nosso corpo, como uma gripe ou um resfriado. Essa divisão do sistema imunológico recebe os nomes de **sistema imune inato** e **sistema imune adaptativo**, respectivamente.

As células de defesa, de modo geral, são denominadas células brancas. Elas são a primeira linha de defesa dos mais diversos tipos de tecido do nosso corpo. Quando detectam algum inimigo, sinalizam isso liberando substâncias químicas que atraem outras células de mesmo tipo para que lhes auxiliem.

Uma linha de defesa geral, como a **célula natural Killer**, por exemplo, tem como função atacar inimigos de maneira mais geral. É a mesma célula que ataca fungos, vírus e quaisquer outros invasores. O corpo, por sua vez, para reforçar esse ataque, cria o sistema imune adaptativo, que é uma resposta tardia. Após o primeiro estímulo, leva algum tempo para que o corpo faça uso dessa estratégia de defesa por meio dos anticorpos, que servem como sinalizadores para levar o combate a um patamar mais intenso, facilitando assim o funcionamento das células de defesa e aniquilando os inimigos de forma mais geral.

Acontece que a função desse sistema é combater micróbios, o que envolve germes, micro-organismos, células cancerígenas, tecidos ou órgãos transportados como corpos estranhos e qualquer outra coisa que o corpo não interprete como parte de si próprio, matando-os. Esse complexo sistema é composto de milhões de células distintas, cada uma atuando de uma maneira diferente para dar conta de qualquer anormalidade. O corpo reage diariamente aos ataques de bactérias, vírus, fungos e outros tipos de micróbios. Assim, quando pensamos na composição do sistema imunológico, há até mesmo órgãos que atuam como verdadeiras barreiras de defesa.

Então, como se dá o funcionamento do sistema imunológico em primeira instância? Bem, nós temos vários órgãos denominados linfoides, como o timo, bem como os linfonodos, que são os nodos linfáticos, tais como o baço e a amígdala. Esses órgãos têm funções imunológicas que variam de acordo com cada lugar. No intestino, contudo, temos a presença de algo primordial, que é a placa de Peyer, um grupo de células linfoides que equivale a 80% do nosso sistema imunológico, tudo isso disperso por todo o nosso tecido intestinal.

Tá, mas por que mesmo estou explicando tudo isso? Ora, para que você possa entender que, ao fazer uso do sistema imunológico de maneira correta, alimentando seu intestino adequadamente e retirando tudo aquilo que lhe faz mal, você será capaz de fazer com que ele seja silenciado quando necessário, como, por exemplo, no caso de doenças autoimunes. Desse modo, ele poderá atuar conforme o esperado, impedindo que seu sistema imunológico se comporte como um cão raivoso.

Mais adiante vamos abordar com mais profundidade essa questão da alimentação. Neste momento, você ainda precisa manter seu foco na respiração.

UMA "GUERRA" DENTRO DE VOCÊ

É provável que neste mesmo instante esteja ocorrendo uma "guerra" dentro de você, pois, além da constante exposição a agentes perigosos, como vírus e bactérias sedentos para invadir seu organismo por meio da alimentação inadequada e muitos outros hábitos não saudáveis, existe um outro ponto que vai além do intestino.

Todo o sistema imunológico é regido não apenas pelo intestino, mas também pelos hormônios, além de estar relacionado à parte vascular. Não bastando o descuido com a alimentação e o excesso de estresse, o que promove o desequilíbrio do intestino e de toda a parte hormonal, a maioria das pessoas não pratica atividades físicas e é habituada a tomar banhos quentes, o que em nada ajuda para a boa manutenção do sistema vascular.

Atualmente, a maior parte da população tem medo de banhar-se em temperatura ambiente. A água gelada gera um treinamento dos nossos capilares, a parte fina da circulação sanguínea corporal. Ao ser privado desse treinamento, o sistema vascular deixa de receber uma grande ajuda para que possa ser mobilizado corretamente. Todos esses fatores somados geram um grande problema.

No capítulo anterior, você foi apresentado à respiração. Quando feita da maneira correta, ela altera completamente o retorno do sangue ao coração e, com isso, o quanto de sangue ele joga para fora a cada minuto, o que evita episódios de taquicardia, pressão alta e outros sintomas responsáveis pelo mal-estar generalizado causado pela ansiedade.

A respiração é capaz de proporcionar benefícios extraordinários para a sua saúde, e pode ser feita de maneira consciente até quando você está tomando um simples banho. Por falar nisso, você já se perguntou como chegamos ao ponto de ter medo de nos banhar com água fria ou mesmo em temperatura ambiente? Uma coisa que eu nunca pensei que veria são pessoas que tomam banho quente ou até "pelando", como se diz no Espírito Santo, mesmo em regiões extremamente quentes. O fato é que o ser humano se acomodou ao conforto do banho quente e, com isso, acarretou alguns prejuízos para seu sistema imunológico.

Veja, até o momento apenas me referi ao banho em temperatura ambiente, sequer entrei na verdade do banho gelado, que também tem benefícios incríveis, mas para isso é preciso que se viva em estados de temperaturas muito baixas.

Quando nosso corpo é exposto a uma temperatura diferente da do ambiente, sua reação é ajustar nossa respiração automaticamente, pois por meio dela conseguimos gerar e dissipar calor. Caso esteja muito frio, o corpo começará a tremer os músculos involuntariamente, para que a movimentação das fibras musculares gere calor por conta do atrito entre as células. Além de colocar você em um padrão respiratório, isso gera vasoconstrição, que é a redução do diâmetro dos vasos sanguíneos. Quando nos adaptamos ao frio extremo, ocorre uma espécie de "ginástica", tanto nos vasos capilares quanto nos vasinhos periféricos, aumentando assim a tolerabilidade do sistema imunológico.

Esse aumento de tolerabilidade acontece pelo treino do sistema nervoso autônomo, diretamente relacionado ao sistema imunológico e responsável por regular o funcionamento dos órgãos que, em tese, não controlamos. Contudo, o ambiente e a maneira como nos expomos a ele e nos conectamos ao frio, à natureza e à respiração são capazes de ativar ou desativar esse sistema imunológico.

É por essa razão que estados de estresse e medo liberam hormônios como os corticoides e a adrenalina, os quais, se mantidos ativados por muito tempo, geram uma alteração negativa de inúmeras vias metabólicas, inclusive dos hormônios sexuais, fragilizando o sistema imunológico por manter o indivíduo em constante estado de alerta, em reação de luta e fuga.

Agora você já sabe por que a ansiedade baixa a imunidade. Simplesmente porque ela mantém o nível de cortisol alto no corpo. O cortisol é o hormônio responsável por controlar o estresse, e faz com que a imunidade fique mais baixa se estiver desregulado; porém, na dose correta, ele é primordial à vida. O cortisol só apresenta risco quando se encontra em níveis excessivamente altos durante muito tempo, pois isso gera problemas, suprimindo funções naturais das defesas do corpo.

Mas, afinal, como o cortisol fica elevado? Para entender esse processo, é preciso que nos lembremos da reação de luta e fuga, aquela que foi tão importante para nossos ancestrais. A primeira coisa que acontece em uma situação de luta ou fuga é a elevação do cortisol e da adrenalina, e essa resposta hormonal faz com que o seu corpo tenha resultados positivos ou negativos, dependendo de como ele se apresentar.

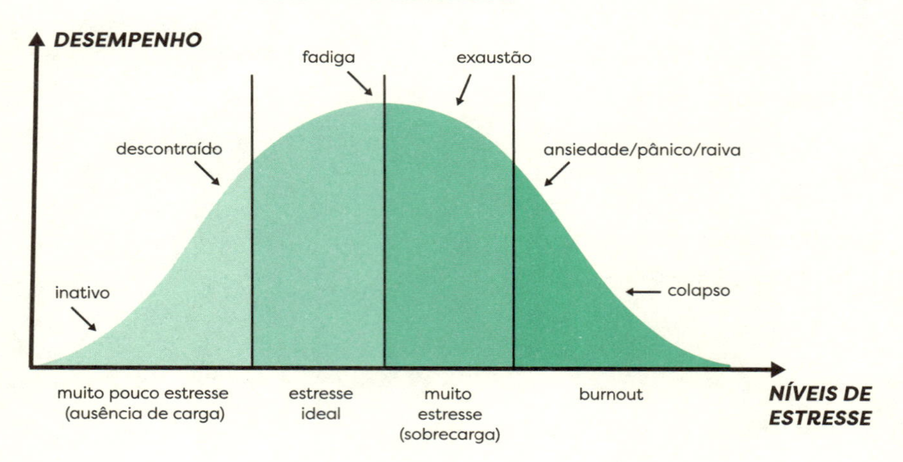

AS EMOÇÕES E SUA ANSIEDADE

Uma emoção é algo curto, efêmero, que dura em média quatro segundos e sobre o qual você não tem controle nem poder. Por essa razão, ela é um dos principais fatores que afetam seu nível de cortisol, o hormônio do estresse. Associada ao sentimento, que é como você se relaciona a uma determinada situação, e ao pensamento, o qual está envolvido nessa situação, a emoção pode ser determinante em qualquer estado ansioso.

Pense nas emoções da seguinte maneira: elas são reações agudas desencadeadas por estímulos significativos internos (como um pensamento ou uma memória) ou externos (uma situação ou um encontro), intensos e de curta duração, comumente acompanhados de eventos que se refletem no corpo, como suor, taquicardia e frio na barriga. As emoções reduzem a clareza imediata, intensificando as sensações físicas do indivíduo. Elas são comuns em nossa espécie, e são potencializadas pelo contexto moral e cultural de cada pessoa.

As emoções primárias possuem três classificações: **emoção de choque**, **emoção colérica** e **emoção afetuosa**. Quando processadas, um forte significado permeia essa simbologia. Nesse momento, surge o sentimento, caracterizado por menor intensidade e reatividade e maior estabilidade, quando comparado às emoções. Esse fato é um grande ponto de virada.

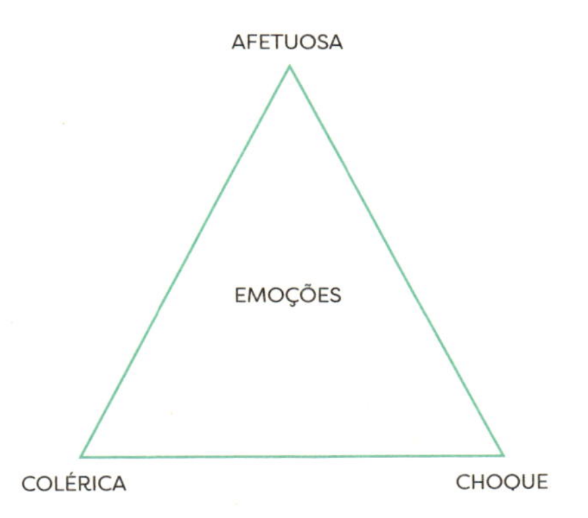

Se você vive em constante estado de ansiedade, qual é o sentimento que você carrega? Lembre-se: a ansiedade possui um gatilho continuado, que demanda um aumento de cortisol e faz com que você fique cada vez pior. Por isso, é preciso prestar atenção às suas emoções, principalmente ao afeto, que é a junção entre a emoção e o sentimento. Ao se atentar à maneira como você se relaciona com o meio, com as pessoas ao seu redor e como isso influencia ou não a sua essência, você estará agindo no fortalecimento do afeto, que é um processo fundamental para manter a sua imunidade longe da ameaça da ansiedade.

Os seus níveis descontrolados de estresse, ansiedade, pânico e raiva são os principais responsáveis pela queda do seu ciclo de defesa, que é relacionado ao estado de alerta, que, por sua vez, é controlado pelo cortisol, como vimos.

Para ilustrar, imagine que você é um barril com um furo no meio, daqueles de madeira com anéis metálicos em volta. O orifício no meio nunca permite que o barril fique cheio por completo, até o topo. A reserva biológica de uma pessoa é o suficiente para que ela atinja o topo, mas, para que isso aconteça, ela precisa tapar esse furo, ou outros que tiver. Furos, nesse caso, são o estresse crônico, a falta de minerais, a baixa hidratação e, como não poderia deixar de ser, a respiração inadequada. Logo, enquanto você não dispuser de tudo o que é necessário para a sua saúde, sua capacidade de reserva biológica estará reduzida, bem como a capacidade de seu corpo de responder favoravelmente à ansiedade.

Se você se percebeu como um barril cheio de furinhos, não desanime, pois sempre há solução, e, o melhor de tudo, ela já vem com você. A história que compartilharei a seguir ilustra exatamente isso e reforça ainda mais a importância de uma ferramenta estratégica para a retomada da respiração e o consecutivo domínio da sua saúde.

Saltei do medo para a liberdade

Enquanto paraquedista, sou uma pessoa que tem o domínio de se jogar de um avião, mas até pouco tempo eu não era capaz de dizer a mim mesma que eu conseguia comer uns simples brócolis. Desde que me conheço por gente, nunca tinha conseguido comer uma fruta ou verdura. Tinha aversão a qualquer tipo de alimentação saudável, pois não podia sequer sentir o cheiro ou o gosto de nada que fosse mais natural; era impensável comer uma cebola ou até mesmo uma maçã, por exemplo.

Até que um dia resolvi buscar ajuda para mudar e começar a me sentir mais saudável, afinal, um dos maiores problemas que eu andava enfrentando era o "efeito sanfona". Sofria muito com isso, porque eu descarregava todas as minhas emoções na comida. Talvez pelo fato de morar longe, em outro país, não ter a família por perto e ninguém para conversar, eu recorria à geladeira. Cheguei a ter episódios de engordar cerca de quinze a vinte quilos e depois emagrecer o mesmo tanto. Esse foi o maior problema que encarei, de me refugiar na comida na tentativa de me livrar da ansiedade.

Cheguei ao ponto de realmente buscar libertação. Não era nem uma questão de emagrecimento, pois o que eu queria na verdade era romper com a minha mente e finalmente sair daquela prisão em que a ansiedade me colocava, sem falar na minha saúde, que já sentia havia tempos os reflexos dos maus hábitos alimentares que eu havia mantido desde sempre. Foi nessa época que encarei o banho gelado pela primeira vez – e ao vivo! –, durante uma *live* promovida pelo Dr. Juliano, mesmo morando em Toronto, no Canadá, com um fuso horário diferente e enfrentando um inverno de -25°C.

Passei a tomar banho gelado todos os dias e, surpreendentemente, comecei a entender que eu era capaz de dominar a minha ansiedade a partir dessa atitude. Consegui compreender que o meu corpo reagia de acordo com o que eu colocava dentro dele, daí percebi como ele estava carente dos nutrientes que seriam aliados do meu estado emocional.

Durante esse processo de virada de chave por meio de um simples banho frio, adquiri uma nova visão e autoconhecimento, sendo enfim capaz de reconhecer que dependia de mim abastecer o meu corpo, de modo que ele reagisse positivamente, e não negativamente. A minha vida antes era pautada pelo impulso, pois quando nos apegamos a ele e por um instante cedemos, queremos comer para saciar uma emoção, e não a fome real por uma necessidade do corpo. Toda vez que eu caía nessa, entrava num ciclo de fracasso, dizia a mim mesma que havia comido o que não devia porque era uma fracassada.

Hoje, depois de finalmente me libertar desse ciclo todo e encarar a situação em que eu vivia, realmente percebi que estava presa como um elefante amarrado a um toquinho. Mas, a partir do destravamento mental proporcionado pelos banhos gelados e dos ensinamentos compartilhados no Desafio Detox de 7 Dias – um programa criado pelo Dr. Juliano para a limpeza e a ativação do corpo, da mente e do espírito –, consegui entender que quem tem o poder de verdade sou eu, quem tem o poder de dizer *sim* ou *não* sou eu. Não posso deixar a minha ansiedade momentânea dominar algo que é muito maior.

Priscila Roveri, 36 anos, Toronto, Canadá.

O SEGREDO DO BANHO GELADO

A história da Priscila ilustra bem como é possível proteger a imunidade do seu corpo contra as deteriorações causadas pela ansiedade. Seu cérebro deseja conforto, mas você diz a ele que precisa entrar debaixo da água fria. Então seu cérebro aprende a obedecer. Ele existe para servi-lo, não para capitanear a sua vida.

Quando o corpo começa a ter uma vasoconstrição periférica inteira em decorrência do frio, ele começa a tremer. Para produzir calor, gera tremores, e a respiração passa a ficar mais acelerada e curta. É nessa hora que você toma consciência e faz a respiração longa e profunda. Com isso, percebe que a sensação de seu corpo muda completamente, pois o frio deixa de ser tão frio, e você consegue, por conta do desconforto do presente, definir qual será sua conduta, sem ficar preso no passado ou no futuro.

É assim que o banho gelado promove um estado de presença associado a uma das maiores ferramentas das quais dispõe, que é a respiração, o que ativa o sistema imunológico, aumenta o exercício dos capilares, que normalmente não são trabalhados no dia a dia, fazendo com que você treine o sistema nervoso autônomo de maneira voluntária e, consequentemente, saia do looping de ilusões que o afligem.

Tudo isso pode até parecer pouco para algumas pessoas, mas tal domínio sobre o comportamento, o pensamento e as emoções conquistado pela Priscila a partir da prática do banho gelado permitiu que ela rompesse com as histórias que contava para si mesma desde a infância e que contribuíam para que ela rejeitasse alimentos saudáveis até a idade adulta.

Seguindo com nossa lista dos sete principais medos que desencadeiam a ansiedade, o medo intimamente ligado a tomar banho gelado é o **medo da doença**.

Em quase tudo o que fazemos na vida, precisamos confrontar certos medos. Mas, apesar de parecer assustador, quando os enfrentamos, por menores que sejam, nos tornamos capazes de derrotar os maiores também. É a mesma coisa que acontece com o jejum. As pessoas têm medo de fazer jejum porque não querem morrer de fraqueza. Ao confrontar-se o medo do jejum, liberta-se de outros medos.

Qual seria o seu medo em relação ao banho gelado? Aposto que é o de ficar doente, acertei? Ou medo do frio mesmo…

Quando você confronta
seus pequenos medos,
os grandes caem. E
percebe que eles só eram
grandes em sua mente.

”

O MEDO DA DOENÇA

O medo da doença está entre os maiores dos sete, afinal, ele se relaciona à fragilidade e à finitude da vida. Contudo, nem sempre houve chuveiro elétrico, e mesmo assim nossos ancestrais sobreviveram muito bem aos banhos frios.

"Mas, doutor, eu não posso tomar banho frio por causa da garganta! Imagine o banho gelado!"

"Mas, doutor, está muito frio, e se eu ficar doente?"

"Eu tenho dor de ouvido, doutor, vai piorar se eu tomar banho gelado!"

Sinceramente, já perdi a conta de quantas vezes ouvi objeções acerca do banho frio. Mas o que todas elas trazem é apenas uma fantasia que as pessoas criam sobre uma prática simples da vida.

O banho frio não só proporciona melhor qualidade vascular, mas também respiratória, o que, como tenho insistido neste livro, é a chave para retirar o indivíduo de um looping crescente de ansiedade.

Banho frio sem medo

No capítulo anterior, foi apresentada uma série de exercícios de respiração. Ao começar os exercícios de respiração abdominal, você fará cinco minutos somente, então observe como você fica após esse exercício.

ESTÁ TUDO BE
VOCÊ TER MED
VOCÊ SÓ NÃ
PODE DEIXA
QUE O MED
TE DOMIN

Se esse é o seu caso, quebraremos seu padrão mental ansioso associando essa respiração a uma música de relaxamento, de modo a mantê-la constante. Isso vai aumentar o grau de impacto do exercício.

Vá para debaixo do chuveiro, ligue-o na ducha fria e faça a respiração tomando um banho gelado.

"Mas e a história de que tomar banho gelado causa gripe e resfriado?"

Isso é mito. A humanidade inteira não chegou até aqui se não fossem os banhos, e esses banhos eram gelados! Nem sempre teve chuveiro elétrico, nem sempre existiu iPhone, geladeira e assistentes virtuais. Então, em algum momento da vida dos seus antepassados teve que haver o banho gelado. Eles tinham esse hábito, e isso não os matou. Eu dou banho gelado na minha filha desde que ela nasceu. Sério. Caía na piscina gelada com ela ainda bebê, aos três meses de idade, e ela se amarrava. Saía dura igual a um picolé, mas ficava feliz da vida! Nunca teve uma gripe.

Com a prática do banho gelado, você quebrará um padrão e começará a doutrinar o corpo, pois o corpo é escravo do espírito, assim como a mente é escrava do espírito. Mas, de início, você tem que trazer o corpo para ser escravo da mente. Nessa fase, a pessoa nem consegue entender que o espírito manda no corpo e na alma. Então é preciso entender que o corpo ficou escravo da mente, e quando você fala "vou tomar um banho gelado", o seu corpo, pelas sensações que ele tem, precisa obedecer ao seu comando.

“SE VOCÊ NÃO CONSEGUE NEM DETERMINAR O SEU BANHO, QUANTAS SITUAÇÕES DA SUA VIDA VOCÊ TAMBÉM NÃO DETERMINA?”

Se você não consegue determinar que é mais forte do que um simples doce, afinal, vive dizendo que o docinho é mais forte do que você, por isso não consegue deixar de comê-lo, que grande obstáculo você está pronto para vencer em sua vida? Se o banho é mais forte, o que você irá vencer na sua vida?

Como é possível quebrar um círculo de ansiedade mantendo-se apático?

Eu quero que você, leitor, grave sua experiência, poste e me marque (@drjulianopimentel) nos stories das suas redes sociais. Se ficar com raiva de mim, fique à vontade para me xingar, tá tudo bem. Agora, se você já está antecipando a reação que terá ao encarar o banho gelado, preste muita atenção:

“QUANDO VOCÊ ESTIVER EM UM PROCESSO IMERSIVO, MANIFESTE A TRANSFORMAÇÃO EM SUAS AÇÕES, SIMPLESMENTE FAÇA O QUE PRECISA SER FEITO.”

Ao entrar no banho gelado, mantenha a respiração lenta, profunda. Você vai notar que o corpo em contato com a água gelada vai querer respirar de maneira curta, como acontece numa crise de ansiedade. Mas seu corpo vai se comportar de acordo com o que você quer, não como ele quer, pois o corpo está à sua disposição, e não você à disposição dele.

A respiração pode ser posta em prática a qualquer momento de sua vida. Se estiver no trabalho, vá ao banheiro e aplique as técnicas que aprendeu. Cinco minutos já serão o suficiente para que você comece a desfrutar dos benefícios.

E como fazer isso? Basicamente respire, concentrando sua energia em seu coração, imaginando que o ar está entrando pelos pulmões e se espalhando pelo corpo. Esse ar o acalma, o tranquiliza. Sinta o movimento que ele faz ao inspirar, sua temperatura, como ele se dissipa. Tudo isso acontecerá de maneira cinestésica.

Uma vez que você dominar sua mente em relação ao medo do banho gelado, estará cada vez mais perto de vencer o medo da doença. Aliás, falando nisso, no próximo capítulo chegaremos a um dos tópicos mais polêmicos do livro, que é a eficácia dos remédios para ansiedade.

Antes de prosseguir para o próximo capítulo, é fundamental que você realize o exercício a seguir, a fim de que você vença seu medo em relação a alguma doença.

Há pessoas que acreditam em uma série de coisas sobre doenças. Tem gente que afirma que terá uma vida saudável porque não quer ter câncer, que tudo o que faz é para não ter câncer, mas no fim das contas acaba tendo câncer.

Isso é muito sério, e por essa razão é preciso ter clareza sobre a sua relação com o medo da doença.

Com base nisso, reflita e responda:

MOMENTO COM O DR. JU

1. Você tem medo de doença? Caso sim, qual ou quais seriam?

....

....

....

2. Qual a sensação que você tem em relação a isso? Seria de morte? Medo de deixar alguém para trás? Receio de ficar incapacitado?

....

....

....

3. Como você costumava lidar com esse medo antes da leitura deste livro?

....

....

....

Após responder a essas perguntas, programe-se para tomar o seu banho gelado. Durante a experiência, pense: "Estou no passado, no presente ou no futuro?". Além disso, imagine seu medo de doença e a relação que você tem com ele sendo levados pela água e descendo pelo ralo. Você consegue pensar nisso? Ou será que simplesmente estará dentro do seu banho no seu momento de presença?

Veja a seguir as recomendações para que você possa adotar a prática do banho gelado em sua rotina.

1. Nos primeiros três dias, comece tomando banho gelado de trinta segundos a um minuto, em seguida passe para o morno.
2. Do quarto ao sexto dia, tome de um a dois minutos, para então passar a água para a temperatura morna.
3. Na segunda semana, estender a duração do banho gelado de dois a quatro minutos.
4. Na terceira semana, passe a tomar somente banho gelado durante toda a duração do seu banho.

Importante: Sempre perceba seus limites e sonde seu coração durante a atividade, e se estiver em um ambiente muito frio, com temperaturas negativas, procure tomar um chá quente para propiciar uma melhor recuperação de conforto para o seu corpo.

CAPÍTULO 5

REMÉDIOS: CURA DA ANSIEDADE OU ILUSÃO?

Ansiedade. Será que remédios curam ansiedade? Será que eles despertam ainda mais sintomas ansiosos ao serem tomados? Será que o medicamento desperta uma ilusão maior na pessoa?

REMÉDIOS: CURA DA ANSIEDADE OU ILUSÃO

O mal do século não é a obesidade, apesar de pesquisas apontarem que ela tem se tornado uma epidemia no mundo. A obesidade existe há muito tempo, mas a ansiedade continua sendo o maior mal do século 21, estando presente em larga escala, prendendo cada vez mais pessoas dentro de um looping na busca de uma cura por meio dos remédios.

Eu aposto que você conhece alguém que toma algum remédio para ansiedade. Até arrisco dizer que você mesmo já tomou, ou ao menos pensou em tomar, algum remédio para ansiedade em dado momento da sua vida, quem sabe agora mesmo. E por que estou dizendo isso? Porque a maioria das pessoas hoje, quando apresenta algum nível de ansiedade, busca um grau de sobrevivência, pois está perdendo a paz, perdendo noites de sono, perdendo a libido, perdendo o corpo que queria.

Em qual remédio para ansiedade você já ouviu falar? Talvez Fluoxetina. Sertralina. Rivotril. Remilev. Clonazepam. Venlafaxina. Reconter. Alprazolam. Bupropiona. Escitalopram. Quetiapina. Nortriptilina. Olanzapina. Mirtazapina. Pregabalina. A lista é infindável...

Agora deixa eu fazer outras perguntas a você:

O remédio curou a sua ansiedade?

O remédio curou algum conhecido acometido por ela?

A resposta provavelmente é não, e sua ansiedade continua aí com você.

Digamos que, quando começou a tomar o medicamento para combater a ansiedade, você imaginava que iria ficar bem, que iria voltar ao normal e que, principalmente, iria controlar os sintomas que o afligiam. Contudo, remédios para ansiedade não curam. Eles não curam as pessoas de seus problemas.

O remédio é uma estratégia dentre as centenas que existem. É mais fácil você buscar a solução no remédio, porém, muitas vezes a solução fácil não é duradoura e muito menos profunda a ponto de gerar resultado.

”

Preste atenção! Quando se fala em "controle", o processo não é curativo, pois na realidade você começa a tomar o remédio buscando controlar uma de suas faculdades mentais. Faculdades mentais não foram feitas para serem controladas; elas foram feitas para serem trabalhadas em plenitude, em maestria. Sempre que você buscar controlar uma de suas faculdades mentais, acabará fracassando. Grave essa informação e convide todos os seus amigos ansiosos, compulsivos e depressivos a lerem este livro, pois todos irão se conectar de alguma forma com o que estou compartilhando aqui.

Veja, não estou afirmando que é errado tomar remédios – apesar de não curarem a ansiedade. Eles são uma estratégia, dentre centenas de outras. É mais fácil você buscar a solução no remédio, porém, muitas vezes a solução fácil não é duradoura e muito menos profunda a ponto de gerar resultado. Ou seja, dentro do seu *modus operandi* mental, você acaba buscando soluções rápidas sem considerar o alto preço que pode vir a pagar por isso.

A questão é: até quando você vai pagar? Até quando vai hesitar? E quando você vai entrar em ação? Eu já ajudei centenas de milhares de pessoas ao redor do mundo a saírem de suas crises de ansiedade, a saírem de quadros ansiosos em inúmeros aspectos. Mas, para ser bem-sucedida, a pessoa tem que querer isso do fundo de sua alma.

Este capítulo aborda um tema muitas vezes negligenciado, que é o impacto dos remédios contra a ansiedade na saúde. A proposta aqui é conscientizar você quanto ao uso correto de uma medicação, que deve ser encarada como uma ponte para um ambiente ao qual você deseja chegar, tomando consciência do que precisa ser feito sem depositar sobre uma mera pílula a expectativa plena e a sua fé completa.

É fato que a medicação se faz necessária em alguns momentos. Mas a indústria dos remédios, no escopo da saúde mental, é muito precária e antiga, pois, em tese, age apenas em algumas áreas do cérebro. Hoje, a primeira reação que as pessoas têm quando vão ao consultório psiquiátrico é buscar a solução imediata, pois querem se ver livres de suas dores, não só no aspecto emocional e psíquico, mas também no físico, e por isso muitas vezes são limitantes.

Contudo, é comum que se deparem com médicos formados cartesianamente, que já possuem uma base medicamentosa. Em algumas ocasiões, até indicam o complemento com a psicoterapia, mas não raramente se limitam à mera prescrição de remédios, o que é uma alternativa questionável, pois se atêm a resolver um problema apenas contendo os sintomas que ele desencadeia.

EM BUSCA DE UM ALÍVIO

Quem tem dor, tem pressa. Por isso, quando se fala em medicamentos para ansiedade, concentra-se no manejo dos sintomas do paciente, e não na cura da ansiedade em si.

O ponto é que ninguém realmente fica curado da ansiedade. Aliás, em muitos casos, a pessoa nem sabe por que está tomando a medicação, e tem apenas uma falsa impressão de melhora, apesar de sentir que a ansiedade permanece a mesma. De fato, a medicação consegue aliviar os sintomas da ansiedade, o que permite que a pessoa realize o processo terapêutico por meio do qual dará início à jornada de encontro consigo mesma, seu autodescobrimento e autoconhecimento, e no qual traumas que deram origem à sua ansiedade patológica poderão ser liberados, desbloqueados e, por fim, extraídos.

Até algum tempo atrás, os remédios ansiolíticos apresentavam uma série de efeitos colaterais. O indivíduo engordava, tinha seus níveis de glicemia e colesterol afetados, podendo desencadear uma hipertensão, além de os efeitos terapêuticos serem muito superficiais. Com essa classe de medicamentos, a pessoa não sentia tristeza, mas também não ficava acordada. Não sentia ansiedade, mas não raciocinava.

Além disso, ainda hoje no Brasil, a maioria das drogas que atua sobre o eixo neurobioquímico, que se refere aos processos químicos envolvidos no sistema nervoso, é prescrita por médicos clínicos, e não por psiquiatras. Muitas vezes, quando entra o psiquiatra, ele traz uma abordagem diferente, mas isso depende de seu conhecimento sobre as interações das drogas mediante o que ele deseja. Alguns optam pela linha dos tricíclicos, outros pela recaptação de serotonina. Entretanto, há pacientes que passam décadas se tratando dessa maneira e ainda afirmam jamais terem se livrado de sua ansiedade.

Por que isso acontece? Porque a pessoa simplesmente continua esperando que o remédio lhe dê uma resposta diferente, mesmo depois de anos. Quando um indivíduo recorre a um tricíclico como a triptilina, que tem um custo mais baixo, o que seu médico espera que aconteça? Qual o resultado desejado na vida dessa pessoa? Se você pensou na diminuição da tristeza e da irritabilidade, acertou. Espera-se ainda a diminuição de sintomas como sofrimento antecipatório, preocupação excessiva, sensação de medo, principalmente quando manifestado como descargas de adrenalina, associado ao aumento da pressão, da frequência cardíaca, causando palpitação, falta de ar, dormência nas mãos, nos lábios e sudorese fria nas extremidades do corpo.

Em suma, todas as drogas medicamentosas são prescritas com o intuito de melhorar as funções do indivíduo, por isso atuam na recaptação de neurotransmissores para que a comunicação interna do cérebro volte a funcionar conforme o esperado.

A questão é: por que falhas na comunicação cerebral começam a acontecer a ponto de desencadear crises de ansiedade? A resposta está nas próprias faculdades mentais. Como costumo dizer, o ser humano da atualidade é notoriamente escravo de duas faculdades mentais: a memória em relação ao passado, que pode gerar a depressão quando guiada de maneira errada, e a imaginação, que também, quando conduzida de modo equivocado e alimentada por traumas, acaba se transformando em ansiedade em seus mais diversos graus, os quais a medicina começa a categorizar e dicotomizar, apesar de a sua essência ser a mesma.

> "O cerne da ansiedade vem de duas faculdades mentais malgovernadas: a memória em relação ao passado e a imaginação.

TENSÃO NO SISTEMA NERVOSO

Para entender como funciona a ação do medicamento no sistema nervoso, vamos explorar brevemente sua anatomia. Basicamente, há uma distância mantida entre os neurônios, e nesse espaço, chamado fenda sináptica, ocorre a liberação de substâncias químicas produzidas naturalmente pelo organismo. Contudo, quando há um desequilíbrio ocasionado por uma série de fatores internos e externos, o remédio cumpre o papel de reestabelecer o funcionamento neurobioquímico, inibindo a receptação das substâncias que estão prejudicando o sistema nervoso e fazendo, assim, com que a comunicação entre os neurônios continue ocorrendo e o estímulo elétrico continue permeando a todos.

Quando pensamos na relação entre ansiedade e neurotransmissores, ao manter a serotonina por mais tempo na fenda sináptica e certa quantidade de adrenalina por meio da atuação de algumas drogas medicamentosas, as pessoas medicadas normalmente estão procurando dar vazão às mesmas pulsões que tinham em outro contexto da vida. Deixam de manifestar ansiedade e começam a extravasar a pulsão dessa faculdade, que é a imaginação, em outros contextos, que se tornam outros problemas no longo prazo, se isso não for tratado em seu cerne, na origem do que causou a ansiedade.

SISTEMA NERVOSO

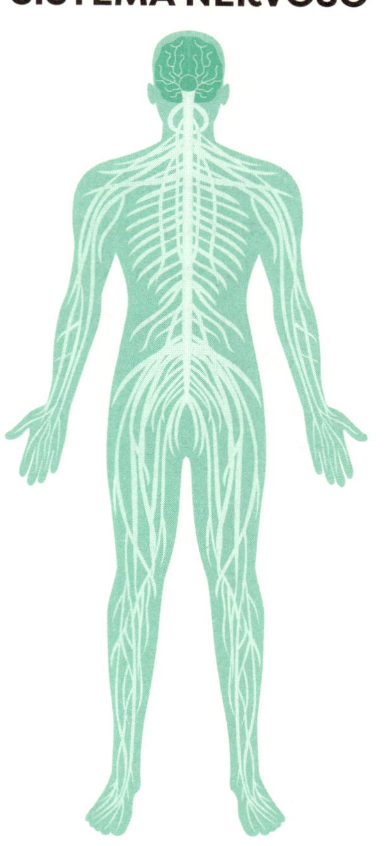

No entanto, como tudo na vida, algo simples pode ter consequências desastrosas. Um simples inibidor de recaptação seletiva de serotonina pode causar vários problemas. Remédios quase sempre apresentam efeitos colaterais, o que pode incluir impotência, ausência de libido, obesidade e, principalmente, apatia emocional, que significa não sentir nem alegria nem tristeza.

Mesmo a obesidade pode ser apontada como um efeito secundário dessa apatia, pois, como a pessoa não consegue sentir qualquer emoção, tornando-se "robótica", é possível que passe a se relacionar com a comida como forma de obter algum prazer imediato. Isso acaba gerando um gatilho para a compulsão alimentar, ainda que a pessoa esteja se tratando para lutar contra a compulsão causada pela ansiedade. Há, então, a dualidade comportamental, e a pessoa busca subterfúgios para sentir-se viva.

Em certos casos, a complexidade vai além da parte neurobioquímica. Indivíduos que apresentam sintomas graves de ansiedade precisam de "um puxão no freio", uma desaceleração em seu funcionamento, para que possam ter seus níveis fisiológicos ajustados antes de entrarem no campo comportamental. Dependendo da gravidade do estado do indivíduo, este pode refutar o tratamento, podendo apresentar um quadro de surto psicótico ou estado de mania que muitas vezes têm por gatilho um quadro ansioso descontrolado, dependendo de medicação para ser regulado.

DE ONDE VEM ESSA SENSAÇÃO?

Imagine a seguinte situação: está tudo bem na sua casa, com seu marido ou esposa, com seus filhos, e, no entanto, você só sente tristeza. Não consegue ficar alegre. Pode, ainda, ser uma sensação constante de medo, mesmo que você esteja na segurança e tranquilidade de seu próprio lar, e ser tão intensa quanto se você estivesse sob a mira de uma arma. Isso se chama mania de perseguição, um comportamento notório de ansiedade.

Como vimos, a ansiedade está presente na história da humanidade na forma de um instinto que nos ajudava a antever algum perigo, para que buscássemos nos proteger. Portanto, trata-se de algo natural sabermos lidar com a ansiedade fisiológica, que também gera um nível de otimização metabólica, um nível de otimização funcional a fim de que consigamos nos movimentar, trabalhar, defender nossa família. Agora, quando ela deixa de ser funcional e se torna disfuncional, temos aí um problema.

NÃO DEIXE O "AH, MAS" DOMINAR A SUA VIDA

De acordo com especialistas em psiquiatria, a depressão apresenta uma chance de recuperação e cura que varia de 93 a 95%, ou seja, uma pessoa pode tomar medicamentos, fazer tratamentos e psicoterapia por um período e nunca mais precisar daquilo e nem ter depressão e ansiedade patológica.

É muito bom quando vejo um psiquiatra afirmar isso, pois cerca de 99% das pessoas que se dizem ansiosas e depressivas realmente conseguem se libertar dessa escravidão. Costumava perguntar aos meus alunos quando seus sintomas haviam começado, e num universo de 100 mil pessoas que afirmavam sofrer de uma delas ou de ambas, à exceção de uma única pessoa, que dizia enxergar a vida em preto e branco desde os 9 anos de idade, todos os demais sabiam mês, dia, hora e ambiente em que a vida se desligou.

A humanidade está fragilizada, infantilizada, enfraquecida, precisando de ajuda mais do que nunca devido a inúmeros aspectos. É para isso que nós, profissionais da área da saúde, estamos aqui, e está tudo bem. Mas as pessoas precisam compreender que não são vítimas e que têm responsabilidade sobre tudo aquilo que vivem, por isso é tão importante ter clareza, discernimento e expressão do poder para sair de situações ruins.

> O ansioso sente que está tudo horrível por conta do seu passado, e então olha para o futuro e pensa assim: "Isso vai se repetir! Eu vou sofrer de novo". Quando há uma interpretação de realidade que se volta para o passado, a pessoa acaba caminhando para um quadro depressivo; e, ao encarar o futuro de maneira negativa, está aberto o caminho para a ansiedade.

Apesar de a depressão e a ansiedade terem uma alta taxa de recuperação e cura, menos da metade das pessoas se trata. Isso acontece porque elas ficam amarradas aos acontecimentos, aos sofrimentos. No fundo, não se permitem parar de sofrer, e sequer se dão conta disso. Se uma pessoa descobre que seu transtorno de ansiedade foi desencadeado por um abuso sofrido na infância, por exemplo, durante o processo terapêutico ela terá que olhar para esse episódio do passado e deixar que por lá ele fique. Porém, é muito comum que ela resista a essa aceitação, revivendo aqueles sentimentos nocivos provocados pelo evento traumático.

> "
>
> **Toda aceitação gera libertação!**

Não adianta insistir naquela ladainha de "Ah, vamos voltar ao passado, vamos ressignificar a rebimboca da parafuseta". Preste atenção: no que diz respeito ao passado, toda aceitação feita com maturidade e amor liberta você. "Ah, mas não foi justo"; "Ah, mas não pode". Não permita que esse "Ah, mas..." governe a sua vida, essa justificativa não adianta.

Quando uma pessoa entra em contato com a possibilidade de um tratamento, que vai propor a ela que pare de sofrer, muitas vezes ela recua, porque se sente condenada a sofrer. Com isso, não busca os recursos necessários, limitando-se ao uso de remédios. É óbvio que essa pessoa passará toda a vida se tratando para, no fim das contas, dizer ao médico que não melhorou. Está comprovado: só o remédio não resolve.

O OUROBOROS DO ANSIOSO

Neste exato momento, milhares de pessoas estão buscando compreender melhor o próprio coração, pois vivem em confusão. Às vezes, manifestam algum tipo de doença, ou ainda somatizam outras. Muitas se mantêm em relacionamentos tóxicos.

Quando encaramos os estados de compulsão apresentados pelas pessoas, sem qualquer percepção de consciência livre, podemos dizer que elas vivem na dinâmica do ouroboros.

O ouroboros é um símbolo mitológico que retrata o infinito, e é representado pela figura de uma cobra mordendo a própria cauda. E por que ela faz isso? Porque não tem consciência do que está fazendo. Ela só consegue deixar de morder a própria cauda – que faz em decorrência de sua fome insaciável e

infinita – quando finalmente transcende o plano em que vive. Do contrário, ela vai para um novo plano e passa a morder a própria cauda dentro dessa nova etapa.

Isso ilustra o impulso por se manter nesse lugar numa tentativa desesperada de sentir-se vivo. Daí se seguem as compulsões por alimentos, álcool, drogas, sexo, jogo, compras etc. O indivíduo busca em seu objeto de compulsão uma maneira de preencher seu vazio existencial, algo que lhe falta no íntimo do seu ser. Por um instante esse vazio é preenchido, mas logo se instaura novamente.

Essa pessoa não se dá conta de que poderia ter saído do sofrimento muito antes, caso não tivesse tanta resistência ao novo. Além disso, o apego ao que ela pensa que sabe a mantém como está. Mas, assim como o pensamento doentio a levou rumo à doença, um pensamento de fé cria uma arquitetura capaz de tirá-la daquele ambiente, por mais que ela seja intelectualizada. Esse novo pensamento transmite segurança e transcende o intelecto.

Como veremos mais a seguir, uma crença positiva e suficientemente forte em algo Supremo – que aqui chamarei de Deus – é capaz de implodir o pensamento doentio e arrastar o ser humano para o alto.

AFINAL, HERÓI OU VILÃO?

Quando a gente pensa mais a fundo sobre a questão dos medicamentos para ansiedade, o Brasil hoje é o campeão no uso de ansiolíticos[4]. O problema é que muitos deles são utilizados sem necessidade.

Há quem atribua sua própria salvação da ansiedade a uma medicação, enquanto para outros ela pode representar sua ruína. Mas, afinal, será que essa responsabilidade é de fato do remédio em si? É obvio que não. O remédio nada mais é do que uma ferramenta e, como tal, pode ser utilizado tanto para salvar vidas quanto para destruí-las, caso administrado de forma incorreta.

Como refletimos no início deste livro, cabe a você projetar em sua mente um conto de fadas ou um filme de terror. Você pode ser tanto o herói como o vilão em sua relação com os ansiolíticos, a depender de como lança mão disso.

Milhões de vidas foram salvas por antibióticos e demais medicações, mas há momentos adequados para o uso desses fármacos. Impera, contudo, certo menosprezo pelos tratamentos alternativos, que não são medicamentosos, que não têm meta-análise, duplo-cego randomizado, e isso é um problema muito grave.

---

4. De acordo com dados recentes da Organização Mundial da Saúde (OMS), o Brasil se tornou o país mais ansioso do mundo. Disponível em: https://exame.com/ciencia/brasil-e-o-pais-mais-ansioso-do-mundo-segundo-a-oms/. Acesso em: abr. 2022. (N.E.)

Todos os anos, os consultórios clínicos recebem uma enxurrada de pacientes relatando que já tentaram de tudo e que nada funcionou, de coisas que não são validadas, testadas e equiparadas em artigos. Isso não quer dizer que elas não funcionem, mas, muitas vezes, que os pacientes se consultaram erroneamente com pessoas não capacitadas.

Quantas vezes você ouviu falar de alguém que fez a terapia do "pé do coelho" – ou qualquer outro nome – e não resolveu, e que a pessoa gastou mundos e fundos nisso, e foi tentando de tudo, mas ainda continua totalmente descompensada, sem resolver suas crises de ansiedade? Existem pessoas brilhantes que passam grande parte da vida escravizadas pela ansiedade, por conta de traumas sofridos. Pode ser que você seja assim também, que tenha algumas travas e conviva com elas por muitos anos. Mas agora preste atenção: quando você perceber que é no confronto em amor que ocorre uma libertação completa e que quando você simplesmente traz da inconsciência para a consciência um fato de clareza, as suas travas se dissiparão por completo.

Para que haja uma transformação substancial, você tem que encarar a miséria da sua vida, pois a partir disso ocorre a geração do desejo, da vontade de virar o jogo e de desistir de sofrer. Nesse processo de encarar a sua própria vida, você não pode entender sua miséria como um fardo. Ela é antes um despertar, que convida você à misericórdia do que é a vida em plenitude, da inteligência universal, de Jesus Cristo, de Deus, do que você quiser na sua vida para manifestar um novo patamar de existência que você jamais sonhou.

Milhares de pessoas já me procuraram para ter saúde, para ter energia, para emagrecer. No entanto, a base de tudo isso não está na perda da gordura. Emagrecer é fácil; agora, chegar à causa da obesidade por meio do reconhecimento de sua própria miséria e, assim, descobrir qual é a camada da sua vida que você não quer encarar, e por isso se mantém doente, são outros quinhentos.

Eu acredito plenamente que é possível o ser humano se curar dele mesmo e das ilusões que cria, porque o grande ponto é esse, ele tem que se curar do que criou contra a própria vida.

”

Por fim, reitero que cada pessoa possui um grau de complexidade e de impacto social familiar completamente diferente, por isso, não se pode analisar sob um olhar simplista o uso de remédios no combate à ansiedade. Especialmente quando falamos em ansiedade severa, o tratamento medicamentoso se faz necessário. Contudo, como vimos neste capítulo, ele por si só não sana o problema. O medicamento tem a finalidade de reduzir sintomas, e a indústria farmacêutica tem dispensado grandes esforços para o aprimoramento das drogas, mas isso não vai gerar um milagre na sua vida. Você terá que fazer a sua parte.

Se você realmente quer se libertar da escravidão da ansiedade, precisa primeiro desejar sair de onde está. O processo de se transformar tem que ser um ato consciente, porque de compulsão já basta a sua vida, já basta a sua obesidade ou excesso de peso, já bastam os seus vícios. Afinal, as dores que você carrega estão ditando hoje a sua vida – ou as catástrofes que você coleciona.

Com base nisso, reflita sobre as perguntas a seguir, e então responda:

MOMENTO COM O DR. JU

1. **Até quando eu quero isso para a minha vida?**

....

....

....

....

2. Até quando eu vou manter esse grau de sofrimento, de dor e de relação que eu tenho com minha dor e meu sofrimento?

3. Qual deve ser o meu próximo passo rumo a uma vida livre dos traumas do passado?

CAPÍTULO 6

A MICROBIOTA E A ANSIEDADE

A essa altura, você já pôde perceber como e por que a ansiedade tem assumido o controle da sua vida. Apresentamos a ansiedade desde sua origem enquanto fenômeno natural para a sobrevivência humana até se tornar uma das doenças mais perigosas do mundo contemporâneo. Mas agora que você já aprendeu que a respiração é uma arma poderosa para destravá-lo dos sintomas mais exacerbados da ansiedade, neste capítulo vamos dar um passo adiante, desta vez aprendendo como nos libertar do jugo da ansiedade a partir da alimentação.

A MICROBIOT E A ANSIEDAD

No capítulo sobre imunidade, foi dito que havia uma "guerra" ocorrendo dentro de você. Essa guerra não se refere apenas aos combates entre seu mecanismo de defesa contra os agentes nocivos, mas também ao seu próprio ecossistema interior, ou, melhor dizendo, sua **microbiota intestinal**. A microbiota, ou *flora intestinal*, é formada por trilhões de micro-organismos que habitam o intestino e são responsáveis por manter o funcionamento vital do corpo. Eles são essencialmente **bactérias** e, antes de torcer o nariz, saiba que nosso organismo contém dois tipos de bactérias, boas e ruins.

As bactérias benéficas são responsáveis por receber tudo o que chega ao intestino e extrair os nutrientes necessários para nos manter vivos e saudáveis, redistribuindo essa carga nutricional para a corrente sanguínea, cérebro, ossos e demais componentes do corpo. As bactérias maléficas, por sua vez, existem em nossa microbiota em decorrência do contato com agentes patogênicos, como fungos e demais elementos causadores de doenças. Isso se dá por meio das vias aéreas e da ingestão de alimentos e líquidos não naturais.

Bactérias benéficas e nocivas coexistem no mesmo espaço, e a batalha começa no momento em que as bactérias "do bem" precisam resistir à destruição das bactérias "do mal". Tá, mas o que isso tem a ver com a sua ansiedade? Basicamente tudo!

Sabe aquela sensação de mau humor, irritabilidade e impaciência quando o dia mal nasceu? É possível que isso esteja sendo causado pela descompensação da sua microbiota intestinal, que pode não estar recebendo o suporte nutricional necessário para conter as bactérias maléficas, ficando à mercê de seus estragos limitantes e basicamente responsáveis pelo estado inflamatório do corpo.

Para compreender melhor a relação direta entre intestino e ansiedade, é preciso retornar à anatomia do cérebro e suas terminações nervosas. É no nervo vago, originado no tronco cerebral, que se dá a ligação entre cérebro e intestino, pois esse nervo percorre um caminho que vai da massa encefálica ao intestino, conectando-o ao sistema nervoso central. Sua função consiste essencialmente em enviar informações vitais do intestino para o cérebro e vice-versa. É daí, portanto, que deriva a expressão "o intestino é o segundo cérebro do corpo humano".

> "
> A falta de cor na sua vida está diretamente associada à falta de cor no seu prato.

Uma vez que as funções fisiológicas e hormonais estão ligadas ao intestino, suas emoções e seu humor não podem ser dissociados daquilo que você come. Por isso, a falta de cor na sua vida está diretamente associada à falta de cor no seu prato.

Você já reparou em como fica sua barriga em situações de tensão? Os sinais são os mais variados:

- Dor;
- Náuseas;
- Queimação;
- Tremores;
- Diarreia;
- Falta de apetite;
- Fome em excesso.

A falta de nutrientes, vitaminas, minerais e fibras, por exemplo, associada ao estresse contínuo do dia a dia, é o principal fator de desequilíbrio da química necessária para nos mantermos longe dos sintomas da ansiedade. Por essa razão, quando um desequilíbrio se instaura, sintomas como esses passam a ser mais frequentes.

Logo, o nome que damos ao conjunto de micro-organismos que vivem em nosso corpo é microbiota. Existe uma microbiota intestinal, uma microbiota na pele, uma microbiota vaginal e por aí vai. Ao desequilíbrio da microbiota damos o nome de disbiose, que normalmente se relaciona à redução de micro-organismos benéficos em contraste com o crescimento excessivo daqueles potencialmente prejudiciais, o que contribui para uma queda de diversidade.

Ao longo dos últimos vinte anos, venho desenvolvendo estratégias que transformam o estilo de vida das pessoas, não apenas no que diz respeito ao emagrecimento, mas sobretudo para a condução de uma vida plenamente saudável a partir da transformação de seus hábitos como um todo, especialmente os alimentares. Então, se suas preocupações cotidianas tiverem se tornado insuportáveis e você ainda estiver travando uma constante batalha contra a balança, preste atenção ao que será abordado ainda neste capítulo, pois será um passo determinante em seu caminho rumo à libertação definitiva da escravidão da ansiedade.

É impossível promover essa libertação sem ajustar o intestino, e isso se relaciona à maioria das doenças contemporâneas. O intestino é composto por milhões de células, mas o papel principal é desempenhado pelos enterócitos. Eles consistem em uma espécie de barreira, e por essa razão devem se manter coladinhos, para que nada de nocivo consiga passar por eles. Imagine dez pessoas abraçadas umas às outras: assim seriam as células do intestino.

No entanto, algumas substâncias e situações conseguem fazer com que os enterócitos acabem se afastando, o que permite que outras moléculas consigam transpor essa barreira, conforme você pode observar na figura a seguir:

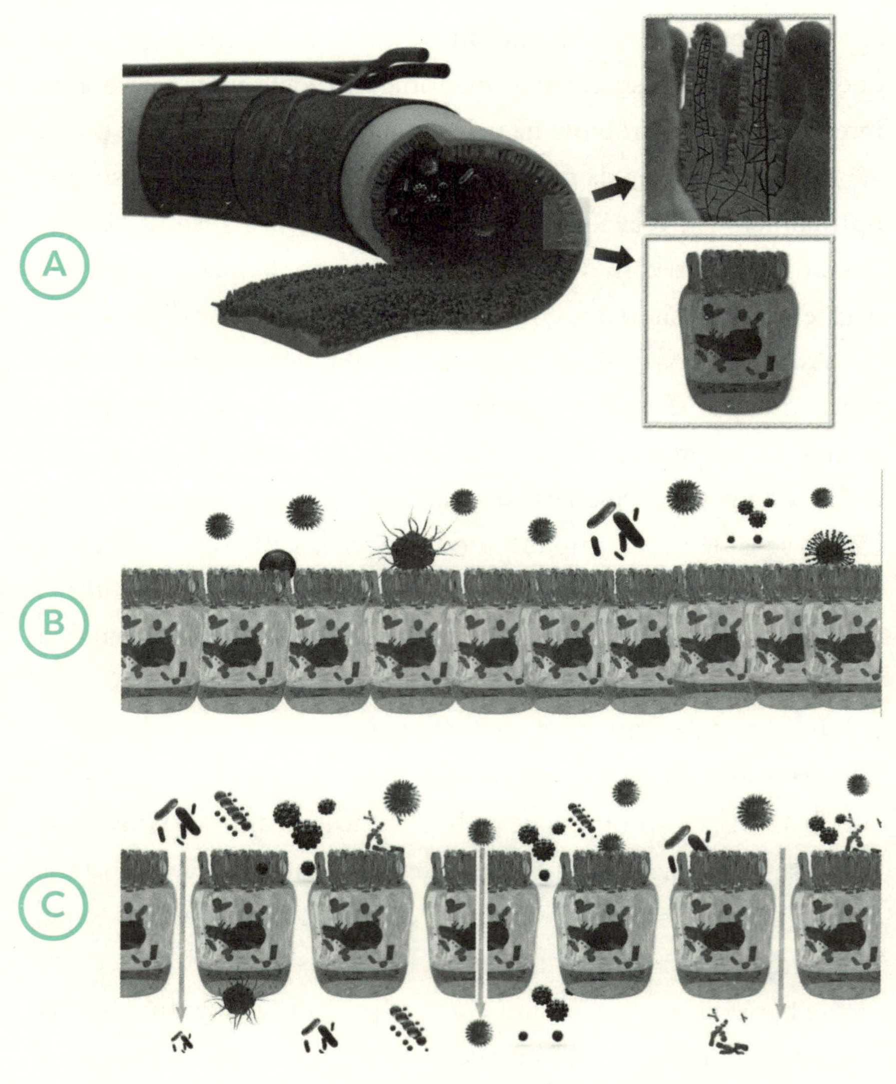

A. TUBO INTESTINAL, VILOSIDADES E ENTERÓCITOS; B. INTESTINO ÍNTEGRO; C. SÍNDROME DO INTESTINO PERMEÁVEL

Tudo aquilo que você come está relacionado à microbiota intestinal (figura a seguir). Essa relação entre a microbiota e o processo digestivo gera os famosos ácidos graxos de cadeia curta (acetato, propionato e butirato) e promove a liberação de neuroatividades intestinais que, ao estimularem determinadas vias no intestino, levam essa informação ao cérebro, impactando o comportamento alimentar, a cognição, a impulsividade, a depressão e, por fim, a ansiedade. Portanto, não podemos ignorar aquilo que comemos.

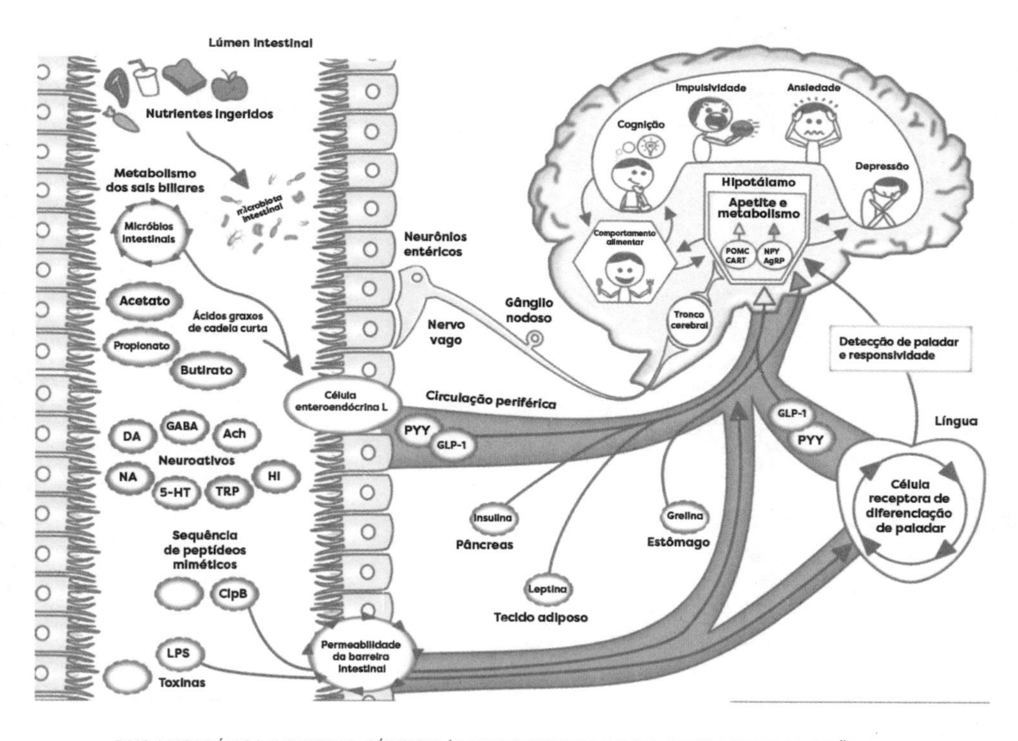

EIXO METABÓLICO INTESTINO-CÉREBRO (EVAN DE WOUW, MARCEL; SCHELLEKENS, HARRIËT; DINAN, TIMOTHY G; CRYAN, JOHN F. MICROBIOTA-GUT-BRAIN AXIS: MODULATOR OF HOST METABOLISM AND APPETITE. *THE JOURNAL OF NUTRITION*, 147(5): 727-745, MAIO 2017. DISPONÍVEL EM: HTTPS://BLOG.INSIRA.COM.BR/WP-CONTENT/UPLOADS/2017/05/10.3945@JN.116.240481.PDF. ACESSO EM: MAIO 2022).

DEIXANDO O HUMOR NEGATIVO PARA TRÁS

O principal problema ao falar de alimentação é que a maioria das pessoas insiste em associar a nutrição, que é tão vital para a existência, ao termo dieta, que ganhou uma conotação bastante negativa. Apenas para esclarecer: dieta não existe, pelo menos não de acordo com o conceito tradicionalmente apresentado, de contar calorias, dieta da Lua, dieta do Sol ou qualquer outra que condicione o indivíduo a um programa restrito e limitado a um curto período.

"ENQUANTO VOCÊ CONTINUAR PENSANDO QUE SERÁ SALVO POR UMA DIETA MÁGICA, CONTINUARÁ AMARRADO A UM TOQUINHO TAL QUAL UM ELEFANTE DE CIRCO."

É de se esperar que o termo dieta cause calafrios em muitas pessoas, bem como é compreensível a baixa adesão a programas de dieta, pelo menos por longos períodos. Esse tipo de prática acaba aprisionando as pessoas a uma falsa sensação de controle e, pior ainda, um controle com dia e hora para terminar. Enquanto você continuar pensando que será salvo por uma dieta mágica, continuará amarrado a um toquinho tal qual um elefante de circo.

Até quando você vai continuar a se alimentar em frente ao computador, sem pausa para o almoço e sem prestar atenção ao que come? Até quando vai continuar a comer, enquanto se locomove, aquele salgadinho gorduroso ou qualquer alimento rápido e processado cuja validade nunca expira de tão sintético que é?

Até quando sua vida será pautada pelo *drive-thru*, equilibrando-se entre ingerir batatas fritas pingando óleo e refrigerantes lotados de açúcar que vão promover uma verdadeira chacina em sua microbiota intestinal?

É possível trocar a fermentação do seu estômago, que literalmente pode corroê-lo por dentro e te deixar doente de ansiedade, pela fermentação de alimentos naturais que não apenas farão com que você fique vivo, mas que tenha uma vida plena.

Para isso, é preciso que você se lembre de que a ansiedade descontrolada pode destruir sua capacidade de pensar e, sobretudo, de optar por não viver como um escravo de sua própria boca.

Acompanhe a história a seguir, que narra a travessia entre a escravidão da ansiedade, alimentada pela compulsão alimentar, até a libertação que gera vida nova. Pense, em seguida, em qual será sua escolha de hoje em diante.

Eu tinha julgado: "Ai, acho que não vou... Vou enfrentar a maior canseira para então ela olhar pra minha cara e dizer: 'Ah, você quer emagrecer? Então toma essa dieta e volte daqui a 30 dias'". Quem garantiria que ela iria me conhecer, me perguntar alguma coisa? Para uma pessoa como eu, que viveu na ansiedade desde sempre, o prejulgamento estava presente em quase todas as situações. E o sofrimento antecipado, então, nem se fala.

Mas quando ouvi, há cerca de um ano e meio, pela primeira vez que a minha obesidade era por falta de alimentação, quase não acreditei. *"Danielle, você está com obesidade porque não se alimenta. Então, vai precisar aprender a comer e, principalmente, tratar a sua ansiedade antes de qualquer coisa."* Essa foi a resposta da médica.

De fato, sempre fiquei por muito tempo sem comer, e quando fazia refeições, na realidade procurava consumir qualquer coisa que tivesse açúcar ou que virasse açúcar no meu organismo, ainda que eu não soubesse disso. Tinha que ser doce, sempre, e só depois fui descobrir o porquê. Na realidade, meu cérebro estava viciado pela excitação do momento havia muito tempo. Era uma felicidade, uma euforia que vinha e me deixava durante os primeiros quinze minutos me sentindo nas nuvens, como se não houvesse mais nenhum problema ou solidão no mundo. Porém, passado esse "barato", eu me sentia um lixo física e emocionalmente. A bomba de toxinas disfarçada de doçura tinha zero dos nutrientes de que eu precisava, e além disso me manteve por quase toda a vida presa num ciclo vicioso interminável com a comida.

Apesar de aparentemente me trazer a felicidade e o silenciamento da minha ansiedade, comer compulsivamente na verdade me fazia ter a sensação de estar consumindo entorpecentes. Eu realmente ficava lenta, a ponto de não conseguir processar as ideias, andava sempre esquecida, sonolenta, indisposta e mal-humorada. Além de ter chegado a pesar 120 quilos tendo 1,65 metro, o inchaço causado pela retenção de líquidos era bastante doloroso. Assim, fiquei ainda mais surpresa quando descobri que esse processo era decorrente da desnutrição e também da desidratação. Uma vez que o meu corpo não sabia quando teria a chance de receber algum nutriente novamente, ele retinha tudo na tentativa de se manter funcionando. Eu não fazia ideia de que estava acabando comigo mesma aos poucos.

Eu sei que não engordei da noite para o dia, foi todo um processo. Nunca soube como lidar com a comida sem viver uma angústia, e o foco no emagrecimento sempre foi uma parte que me doeu muito. Mas quando completei 30 anos, o desejo de ser mãe foi mais forte do que tudo o que eu já havia sentido. Apesar do medo de não conseguir ficar grávida por causa do peso, tinha consciência de que a mudança de hábitos alimentares, que a vida inteira passei driblando para não ter de enfrentar, seria o caminho para alcançar esse meu sonho.

Lembro que, quando estava com 22 anos de idade, cheguei a emagrecer 35 quilos em um ano. No entanto, me tornei uma pessoa ainda mais frustrada, triste e amargurada, porque simplesmente não aceitava a mudança alimentar como um ganho para a minha vida, e só pensava no quão torturantes eram as dietas. Chegava a me trancar no quarto e esperar que meus pais terminassem de comer a pizza de fim de semana só para não ter que ver aquela cena. Outras tantas vezes, recorria ao dedo na garganta, na tentativa desesperada de emagrecer.

Eu era uma escrava dessa situação de engordar e emagrecer, e como sempre gostei muito da área da beleza e maquiagem, meu foco no físico era ainda mais acentuado. Há cerca de três anos, comecei a trabalhar em uma clínica de estética. Mas, pouco tempo depois, a experiência que parecia ser um sonho revelou-se um verdadeiro pesadelo. Intimidada e deprimida pelos olhares reprovadores que recebia, voltei a engordar ainda mais, e passou a ser difícil engolir os sorrisinhos de canto de boca e até mesmo as indiretas relacionadas ao meu peso.

Mas um dos piores dias da minha vida foi quando descobri que estava sendo alvo de ataques gordofóbicos da minha própria supervisora, que se referiu a mim a um desconhecido como se eu estivesse vestida com uma capa de botijão de gás durante uma troca de mensagens. A dor que senti naquele momento por conta da ofensa foi a pior humilhação que já tinha sofrido na vida. Aquilo me fez relembrar o medo que sempre senti em relação ao meu peso e o que as pessoas poderiam fazer contra mim por causa disso.

Contudo, apesar dessa agressão e de ter ficado um tempo abalada psicológica e emocionalmente, consegui dar um basta naquela situação. Quando falei para mim mesma que não queria mais viver no passado, pois engravidar de uma forma saudável e com consciência era o mais importante para mim, parei de seguir em rota de colisão com a comida.

Diferentemente de tudo que já vivi, o programa de emagrecimento do Dr. Juliano me fez enxergar pela primeira vez que o meu prazer em comer seria muito mais prolongado se viesse de um alimento que eu pudesse descascar em vez daquele que eu pudesse retirar de uma embalagem plástica metalizada. A partir de substituições simples, que eu nem imaginava que seriam tão prazerosas, como beber uma água do coco verde em vez de um suco de caixinha, passei a ter cada vez mais disposição, e já não me sentia desmotivada, pois finalmente estava assumindo o domínio da minha mente e deixando de ser escrava da ansiedade que sempre distorcia a relação que eu tinha com o meu corpo. Aprendi a definir quem mandava em quem dentro de mim mesma.

Agora, finalmente livre do controle mental que a comida sem nutrientes exercia sobre mim – e que eu permitia –, afirmo que é possível virar o jogo nessa relação desejo-comida. Além de ter pedido demissão e aberto o meu próprio estúdio de estética, minha vida anda muito mais leve e colorida, no prato e no dia a dia, e me sinto pronta para receber o meu primeiro filho.

Danielle Bernardes, 30 anos, São Paulo.

O MEDO DA HUMILHAÇÃO

A história da Dani revela mais um dos sete medos que temos discutido ao longo deste livro, o **medo da humilhação**. Este, aliás, dá muito as caras quando o assunto é obesidade. Ao afirmar que se sentia intimidada pelos olhares das outras pessoas, Dani já havia declarado em seu íntimo que sentia o medo de ser julgada e de passar por humilhações em decorrência de sua aparência.

Assim como a maioria das pessoas sente medo de ser incapaz de dominar as próprias escolhas quando estão diante de um prato, o receio do constrangimento e a vergonha são sentimentos limitantes. Então, não é raro que busquem refúgio por meio do paladar, a fim de não encararem suas próprias dores e, quase de modo automático, criam obstáculos, na vã tentativa de não perderem algo que lhes parece uma fonte duradoura de prazer.

"Será que vou conseguir comer menos?"

"Não sei se vou conseguir ficar sem sobremesa."

"De que adianta fazer dieta se eu tenho um metabolismo lento?"

Essas e tantas outras frases não passam de desculpas de uma mente tomada pelo medo da humilhação, que, antes mesmo de se colocar em funcionamento para aumentar a saúde do corpo,

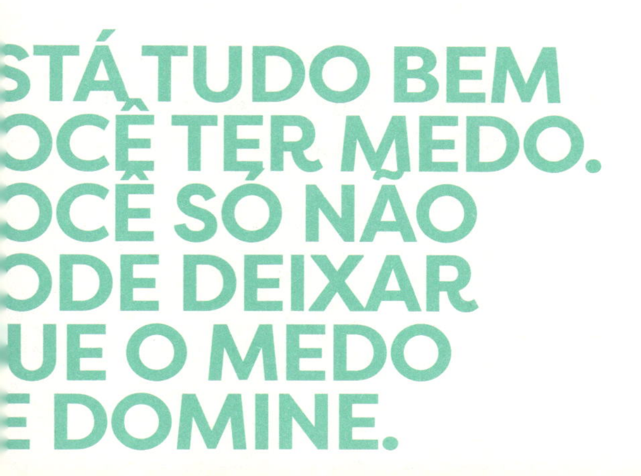

dispara mensagens que abastecem o medo da exposição e, consequentemente, enfatiza a falha do autodomínio para sair de um ciclo vicioso estabelecido com a comida na tentativa de superar humilhações – ou mesmo a ameaça de sofrer uma eventual humilhação.

Com os níveis inflamatórios do corpo nas alturas em decorrência da microbiota desequilibrada, o intestino, agora ansioso, sequestra a mente amedrontada pela percepção de que não é capaz de resistir a uma humilhação. Nisso, podem se passar anos, ou até mesmo toda uma vida, de uma relação de escravização do ser pelo próprio corpo, que buscará nas drogas alimentares um êxtase momentâneo para poder aplacar os sintomas da ansiedade. É um verdadeiro caso de retroalimentação ansiosa.

Talvez, agora, só de pensar que a ansiedade o tem dominado por meio das coisas que você come, você tenha disparado uma vontade de pôr para dentro qualquer porcaria com gordura ou açúcar. Ou pode estar até mesmo sentindo o tal frio na barriga ou outro desconforto, especialmente se não estiver atento a como anda se abastecendo.

Sei que você deve estar querendo perguntar: “Mas esse ciclo tem um fim que não culmine na ladainha da dieta?”. A resposta é sim, claro que tem!

A primeira atitude a se tomar é com relação ao medo da humilhação. Ao aceitar que você é a única pessoa com real poder para dominar a sua vida, libertar-se desse medo será uma consequência. Além disso, ao ter uma motivação verdadeiramente forte, você será capaz de vencer qualquer barreira imposta pelo medo.

DESINFLAMAR E FORTALECER O CORPO

Agora que você já conheceu a íntima relação do intestino com o cérebro e, consequentemente, como essa ligação é determinante para seu humor e seu estado de ansiedade, o próximo passo será desinflamar sua microbiota, a fim de fortalecer seu corpo e mente. Para isso, a tarefa será alimentar as suas bactérias boas com vitaminas, fibras, sais minerais, probióticos e prebióticos diariamente, consumindo alimentos como:

1. Iogurte de cultura ativa, tempeh, missô, natto, chucrute, kefir, Kimchi, kombucha (PROBIÓTICOS);
2. Feijão, aveia, banana, frutas vermelhas, alho, cebola, aspargo, tupinambo e alho-poró (PREBIÓTICOS);
3. Vitaminas: B9, B12, B1, B6, A e C;
4. Minerais: magnésio, potássio e selênio;
5. Feijão, arroz integral, frutas vermelhas, farelo de aveia, pera, maçã, banana, brócolis, couve-de-bruxelas, cenoura, alcachofra, amêndoas, nozes, amaranto, aveia (FIBRAS).

Ao incorporar novos alimentos com alto teor nutritivo, você notará uma gradativa melhora da memória, assim como o retardo do declínio cognitivo. Em outras palavras, você ficará cada vez menos lento nos pensamentos, mais concentrado e com os níveis hormonais devidamente regulados para uma vida livre da ansiedade.

Além de diversificar o cardápio com essas poderosas fontes naturais de alimentos, cortar os agentes nocivos será fundamental para vencer a batalha dentro de você. Aqui vai uma dica extra: se quiser se ver livre de pesadelos noturnos ou diurnos, comece limpando o seu interior, evitando a ingestão de:

1. Açúcar: bolos, biscoitos, doces, refrigerantes e tudo que é adoçado com açúcar ou xarope de milho com excesso de frutose;
2. Carboidratos de alto índice glicêmico: pão branco, arroz branco, batata, massas e tudo que é feito de farinha refinada;
3. Retire completamente o glúten de sua vida: o glúten é uma proteína presente no trigo, no centeio e na cevada. Ou seja, nada de trigo ou cerveja;

4. Adoçantes artificiais: o aspartame é particularmente nocivo, mas também o são a sacarina, a sucralose e a estévia, que devem ser consumidas em doses moderadas e com cautela;
5. Frituras: batata frita, frango frito, frutos do mar fritos ou qualquer coisa mergulhada em óleo;
6. Gorduras ruins: gorduras trans, como a margarina, a gordura vegetal e óleos vegetais devem ser totalmente evitados; gorduras ômega-6, como as vegetais e de milho; as de girassol e cártamo devem ser consumidas com moderação;
7. Nitratos: aditivo usado no bacon, no salame, nas linguiças e em outros embutidos;
8. Leite e derivados: o leite gera uma inflamação, sendo uma das principais fontes de exomorfinas, substâncias que estimulam o sistema nervoso central e causam dependência.

Para que você funcione melhor e sua vida ande para a frente, é preciso que você aceite que a responsabilidade por sua própria nutrição é sua. Pense: que exército você quer alimentar dentro de si? Aquele disposto a batalhar por sua versão mais favorável, prazerosa e eficaz ou aquele potencialmente autodestrutivo, capaz de dissolvê-lo em uma piscina de ansiedade?

Quando você finalmente compreender que comida *only for fun*, ou seja, só para se divertir, é um sinal de vício incapaz de preencher qualquer vazio que você esteja sentindo, sua mudança de hábitos virá com naturalidade. Então, dieta será só mais uma palavra, já que sua vida será muito maior do que isso. Exercerá domínio sobre sua mente para nutrir seu corpo no melhor estilo e sem prazo de validade. Contanto que, e a essa altura você já deve ter se tocado disso, decida não mais viver como um escravo ansioso.

MOMENTO COM O DR. JU

Neste momento, quero que você aprofunde seu olhar sobre sua alimentação e seu hábito intestinal, pois agora você já percebeu a relação que existe entre alimentação, seu hábito intestinal e suas emoções.

1. Como é o seu hábito intestinal no seu dia a dia, ele muda com as suas emoções?

....

....

....

2. Você tem predileção por algum tipo de alimento? Qual é a sensação que você espera ter ao comê-lo?

....

....

....

3. Como você estava antes de comê-lo?

....

....

....

4. Qual é a relação do que eu como com o cocô que eu tenho?

....

....

....

5. Qual é a relação do que eu bebo com a forma, consistência e frequência do cocô?

....

....

....

CAPÍTULO 7

OS SANTOS REMÉDIOS CONTRA A ANSIEDADE

"'Restaurarei o exausto e saciarei o enfraquecido'. Então acordei e olhei em redor. Meu sono tinha sido agradável."

(Jr 31:25-26)

Até o momento, você aprendeu que respirar, comer e se hidratar adequadamente são ações essenciais no combate à ansiedade. Aliados a estes, há ainda outros aspectos de igual importância, como você verá nas páginas a seguir. Sua ansiedade não atingiu o nível em que se encontra agora da noite para o dia e, ainda que possa ser proveniente de um fator isolado, o conjunto de sintomas que o assola não se restringe a uma única via ao longo de seu corpo.

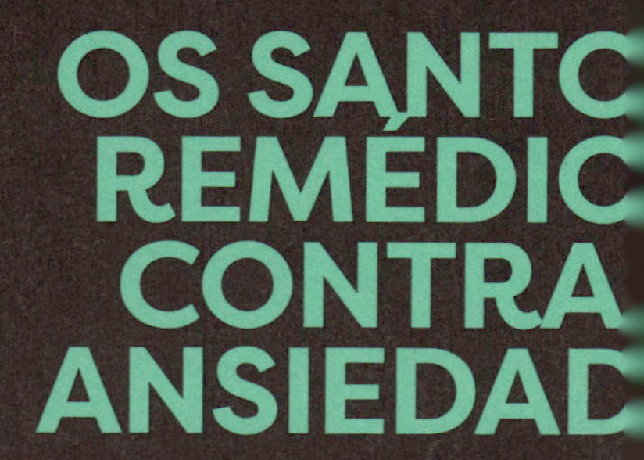

Agora que você já foi apresentado à íntima relação que a respiração tem com a liberação dos sintomas mais comuns da ansiedade e que já sabe que tudo o que consome tem o poder de afetar diretamente seu estado emocional, chegou o momento de fazermos novas reflexões e, o melhor de tudo, novas escolhas.

SONO SEM ANSIEDADE

Você já parou para prestar atenção à qualidade do seu sono?

"Ah, doutor, não tenho paciência para dormir, acho um desperdício de tempo!"

"Ultimamente, tenho dormido três ou quatro horas por noite. Tenho um sono muito leve."

"Tenho dificuldade para começar a dormir, então aproveito para dar uma olhada em minhas redes sociais quando vou me deitar."

Apesar de as desculpas sobre a falta de um sono adequado serem as mais variadas, dormir é tão vital quanto respirar, comer, beber e se exercitar. Trata-se, na realidade, da base para gozar de boa saúde e bem-estar durante toda a vida.

No capítulo anterior, você descobriu como a microbiota intestinal é uma verdadeira central de funcionamento do seu corpo, que, uma vez em desequilíbrio, pode deixá-lo em estado indesejado de ansiedade. A má alimentação não é a única responsável por promover esse desequilíbrio. Um sono inadequado também está fortemente ligado a doenças inflamatórias intestinais recorrentes.

O sistema imunológico depende muito do sono para se manter saudável. Como ele é responsável por defender o corpo contra substâncias estranhas ou prejudiciais, a privação do sono pode impedi-lo de fortalecer esse sistema, fazendo com que a proteção de citocinas, que são proteínas secretadas pelas células de defesa para combater infecções, sofra um declínio. Isso significa que uma pessoa poderá levar mais tempo para se recuperar de doenças, bem como da ansiedade, além de apresentar um risco aumentado de contrair doenças crônicas.

O sono inadequado afeta os hormônios que regulam o apetite e aumenta o risco de obesidade. Sabe aquele momento em que você se sente mais faminto do que quando está bem descansado? Ele é resultado do aumento do seu nível de grelina, também conhecida como hormônio da fome, que acaba nas alturas por causa da privação de sono.

Além disso, pode haver risco aumentado de doenças respiratórias novas e avançadas, risco de diabetes tipo 2, em função da liberação da insulina, o que leva ao aumento do armazenamento de gordura; aumento do risco de doenças cardiovasculares e problemas para uma adequada produção de hormônios, incluindo aqueles ligados ao crescimento e de testosterona, no caso dos homens.

Uma boa noite de sono é incrivelmente importante para a saúde. Infelizmente, as pessoas têm dormido muito menos do que no passado. Como se isso não bastasse, a qualidade do sono também diminuiu, por conta da exposição a ambientes cada vez mais agitados e cheios de luzes e, em especial, dos aparelhos eletrônicos, que interferem diretamente nos padrões naturais do sono.

No caso do indivíduo ansioso, o cenário é ainda mais complicado. Como ele geralmente apresenta níveis hormonais desregulados e uma microbiota comprometida, tudo isso associado a fatores externos, como estresses situacionais e eventos traumáticos, seu sono é fatalmente comprometido.

Você se lembra do que abordamos acerca das inflamações no seu corpo? Os estados inflamatórios são invariavelmente responsáveis por problemas de saúde, os quais acarretam padrões de sono empobrecidos e fortemente ligados à ansiedade e à depressão.

Quando você apresenta um ou mais comportamentos nocivos (distúrbios) no sono diário, conforme será descrito a seguir, é possível que esteja sofrendo de privação ou deficiência do sono. É importante que você observe se:

- Está dormindo o suficiente (privação de sono);
- Dorme bem;
- Tem tipos de sono diferentes daquele que seu corpo precisa;
- Dorme em momentos errados do dia (fora de sincronia com seu relógio biológico);
- Sofre de distúrbio do sono, que o impede de dormir o suficiente ou que resulte em sono de má qualidade.

Em suma, um sono ruim é capaz de prejudicar sua função cerebral e reduzir suas habilidades sociais, podendo impactar, inclusive, sua capacidade de reconhecer as expressões emocionais das pessoas, o que tem relação direta com a perda de produtividade. Agora, se você tiver um bom sono, terá o poder de maximizar suas habilidades de resolução de problemas, aprimorar sua memória e aumentar seu desempenho físico e mental, o que contribui enormemente para a redução dos sintomas da ansiedade.

O sono ajuda seu cérebro a funcionar adequadamente. Enquanto você dorme, seu cérebro está em plena preparação para o dia seguinte, formando novos caminhos para ajudá-lo a aprender e a se lembrar de informações. Evita, ainda, possíveis problemas no convívio com outras pessoas, irritação, impulsividade e alterações de humor. Previne que você se sinta triste, deprimido ou desmotivado, bem como problemas de concentração e estresse.

> "A maneira como você se sente enquanto está acordado depende em parte do que acontece enquanto você está dormindo.

Para que você entenda a deficiência do sono, vou explicar como o ato de dormir funciona e por que ele é tão importante. Há dois tipos básicos de sono:

1. Movimento Ocular Rápido (REM)
2. Movimento Ocular Não Rápido (NREM)

Nesses dois períodos, há o repouso pelo sono, que pode vir permeado de sonhos, e ambos ocorrem geralmente em um padrão regular de três a cinco ciclos a cada noite.

O sono NREM inclui o que é comumente conhecido como sono profundo ou sono de ondas lentas. Já o sonho ocorre durante o sono REM. Sua capacidade de funcionar e de se sentir bem enquanto você está acordado depende de você estar dormindo o suficiente e usufruindo o bastante de cada tipo de sono. Dormir no momento em que seu corpo está preparado também é essencial.

O seu "relógio biológico" interno segue um ritmo de repetição de 24 horas (chamado de ritmo circadiano) que afeta todas as células, tecidos e órgãos do corpo e a forma como funcionam. O controle de quando você está acordado e/ou de quando seu corpo está pronto para dormir cabe ao seu relógio interno. Se você não está dormindo o suficiente, se está dormindo na hora errada ou se tem um sono de má qualidade, provavelmente se sentirá muito cansado durante o dia. Além disso, poderá não se sentir revigorado e alerta ao acordar. É por isso que a maneira como você se sente enquanto acordado depende em parte do que acontece enquanto você está dormindo.

A seguir, compartilharei com você um breve manual básico sobre o que fazer para eliminar tudo aquilo que o impede de desfrutar de uma boa noite de sono, o que é uma poderosa ferramenta contra a ansiedade.

HIGIENE DO SONO INADEQUADA (COISAS QUE VOCÊ FAZ E QUE PREJUDICAM O SEU SONO)

Alguns maus hábitos que afetam a higiene do sono e que justificam esse diagnóstico são:

- deitar-se e levantar-se em horários variáveis;
- permanecer na cama por períodos frequentes e longos;
- fazer uso rotineiro de produtos contendo álcool, tabaco ou cafeína antes de se deitar;
- fazer uso frequente da cama para atividades como assistir à televisão, ler, estudar, comer;
- realizar exercícios perto da hora de se deitar;
- envolver-se em atividades excitantes ou emocionalmente perturbadoras muito próximo da hora de dormir;
- dormir em cama desconfortável, colchão de má qualidade, com cobertas inadequadas etc.;
- permitir que o quarto de dormir seja excessivamente iluminado, abafado, desordenado, quente, frio ou que, de algum modo, seja pouco convidativo ao sono;

- desempenhar atividades que exijam alto nível de concentração imediatamente antes de se deitar;
- permitir que ocorram na cama atividades mentais como pensar, planejar, relembrar etc.

Estabelecer e praticar uma boa higiene do sono pode pôr fim a todos esses maus hábitos.

Prevenir é a palavra de ordem da medicina atual. A maioria dos adolescentes tem um sono tão bom que nos faz crer que para dormir basta atirar-se ao sofá a qualquer hora. Após os 35 anos, porém, o sono vai se tornando frágil e passa a exigir maiores cuidados.

As regras de higiene do sono existem para ajudar você a obter o máximo benefício de suas horas de sono. Infelizmente, elas não funcionam para todos, principalmente para quem está nos extremos da idade ou sofrendo de distúrbios do sono ou demais problemas de saúde.

Caso elas não funcionem para você, anote como se sente e procure um médico para que ele lhe ajude a identificar o que pode ser feito.

A falta de higiene do sono é incompatível com a manutenção do sono de boa qualidade e com o completo alerta diurno. A queixa de quem cuida mal do sono pode ser tanto de insônia como de sonolência excessiva.

HIGIENE DO SONO ADEQUADA (O QUE FAZER PARA MELHORAR O SONO)

Tenha uma rotina de sono com horário para se deitar e para se levantar.

Providencie:

- um quarto arrumado;
- um colchão e travesseiros confortáveis.

Antes ou na hora de se deitar, EVITE:

- ingerir bebidas alcoólicas, tabaco ou cafeína;
- realizar exercícios em horários próximos da hora de dormir;
- assistir à TV, mexer no celular ou trabalhar;
- tomar diuréticos (após as 18h), para não ter que ir ao banheiro (converse com o seu médico sobre isso).

Procure:

- apagar as luzes;
- fechar as cortinas;
- verificar a temperatura;
- utilizar aromatizadores.

Atualmente, está claro que o sono não é apenas um desligamento do cérebro para o descanso, mas um estado ativo, cíclico, complexo e mutável, com profundas repercussões sobre o funcionamento do corpo e da mente na vigília do dia seguinte, e uma das principais ferramentas no combate à ansiedade.

O sono não é diferente do exercício ou de outros estados da vida. Exige uma preparação, um ambiente adequado e uma mente livre de preocupações. Os conselhos e recomendações que você acabou de ler neste capítulo, assim como os exercícios a seguir, podem ajudá-lo a melhorar sua saúde noturna e finalmente alcançar um sono sem ansiedade.

O JEJUM E A ANSIEDADE

O jejum, ao longo da história da humanidade, sempre representou um divisor de águas na vida de seus adeptos. Por meio dele, é possível confrontar um dos medos que abalam os indivíduos, o medo da escassez, que os leva a pensar na falta completa, na iminência da necessidade, na ausência absoluta de recursos para a sobrevivência.

O **medo da escassez** é capaz de levar você a uma busca demasiada por segurança, desencadeada pela preocupação com a falta e seu vazio resultante. Esse medo também se relaciona com a ausência de comida. Não à toa, encarar esse medo incorre em desafiar crenças muitas vezes estabelecidas pelas pessoas que você mais ama, por meio de máximas como "saco vazio não para em pé" ou "você tem que comer, senão ficará doente".

No entanto, apesar de ser encarado como uma falta, em decorrência da ausência de alimento em sua matéria, o jejum tem o poder de conectá-lo a algo que transcende o entendimento, permitindo que você faça um verdadeiro mergulho interior. Ao segui-lo de acordo com as orientações deste livro, o jejum torna-se mais uma ferramenta eficaz no combate à ansiedade.

Quando minha esposa sentiu em seu íntimo a presença da doença pela primeira vez na vida, ela mergulhou profundamente em sua essência, ouvindo um chamado que vinha do fundo de sua alma convidando-a a iniciar um jejum que durou 21 dias. Isso libertou o seu corpo e a sua mente e manifestou completamente a sua conexão em fé com Deus.

ESTÁ TUDO BE
VOCÊ TER MED
VOCÊ SÓ NÃ
PODE DEIXA
QUE O MED
TE DOMIN

Jejuei por 21 dias

Em nenhum momento eu fiquei com medo de ficar com fome quando iniciei meu processo de jejum. Na realidade, isso sequer passou pela minha cabeça, pois, quando fiz a triagem para ver o que eu tinha na mama, antes mesmo de receber o diagnóstico, senti no meu coração que tinha de fazer o jejum. Na verdade, o que vivi foi um chamado espiritual, pois eu estava muito angustiada naquele momento, e foi como se Deus falasse assim para mim: "Filha, está na hora. Está na hora da entrega total, da entrega completa". Quando senti isso, apenas falei para o Juliano: "Eu vou entrar em jejum e não sei por quanto tempo vou ficar, mas preciso que você me apoie nesse processo, porque eu preciso fazer; eu tenho que fazer". Ele me apoiou imediatamente, como faz em tudo, e disse para eu me manter firme em meu propósito.

Iniciei meu processo de jejum com o foco muito firme, que era simplesmente alcançar a cura por meio da minha conexão com Deus, por meio do meu jejum. Eu ainda não sabia que tinha um câncer, pois primeiro precisava lidar com algumas questões da minha alma, e era na cura dela que eu focava. Para mim, as doenças vêm da alma, e elas acabam se materializando no corpo. Eu sentia que a minha alma precisava daquilo. O jejum era o caminho para a cura do meu espírito.

Contudo, no exato momento em que eu recebi o diagnóstico do câncer, esmoreci. Fiquei sem chão. Lembro-me do meu marido me pegar pela mão, me apoiar e me acolher da melhor forma que pôde naquele momento. Ele olhou nos meus olhos e disse que estaria comigo para o que desse e viesse. "Fica tranquila, pois Deus está cuidando de tudo", ele me disse. E eu sabia que Ele estava cuidando. Foi a partir daí também que entendi mais ainda o porquê do chamado para o jejum. Entendi que aquela era a minha primeira jornada da cura total, e ela era extremamente necessária. Eu me lembro de olhar nos olhos dos meus filhos, Caio, o mais velho, e Bella, a minha bebê, olhar para o meu marido, minha sogra e meu cunhado, que estavam em casa naquela época, e pensar: "Aqui não. Eu não vou morrer disso!". Eu determinei que não iria morrer de câncer, então clamei por Deus naquela hora, assim como clamei por Ele durante todo o processo de jejum, pedindo forças, pedindo foco no que eu estava fazendo, e foi algo incrível.

Eu só tomava água, chá sem adoçar e café; mais nada. E toda vez que eu orava, toda vez que pedia a Deus a cura, o discernimento e para que Ele me mostrasse o caminho, mantendo-me perseverante durante aqueles dias de jejum, daquela entrega espiritual completa, pois verdadeiramente me joguei no colo de Deus, eu me sentia cada vez mais forte, cada vez mais alimentada! Então a sensação de não estar comendo, de não ter o alimento, não existia, pois eu me sentia extremamente revigorada e alimentada, eu tinha tudo de que precisava.

Deus me deu tudo o que eu precisava durante aqueles 21 dias. Eu acordava e ia dormir com uma energia gigantesca. Lembro que ia fazer stories e pulava, cantava e brincava repetindo "13 dias de jejum! 13 dias de jejum!", e assim sucessivamente ao longo dos dias. E só finalizei esse processo porque fiz a primeira quimio e estava no jejum prolongado quando veio minha primeira menstruação após o parto da minha filha, e essa menstruação foi hemorrágica, daí fiquei muito fraca mesmo. Então naquela hora eu entendi que meu corpo precisava ser realimentado, mas, no que dependesse da minha vontade, eu não pararia por ali.

Todo o processo do jejum só me fortaleceu. Eu me lembro de olhar para a minha mama e brincar com a situação, porque encarei tudo com uma leveza que só foi possível por meio da fé, da presença de Deus na minha vida e do jejum. Eu olhava para a mama e dizia: “E aí? Tá morrendo de fome? Derrete! Derrete!”. Eu falava assim com o “tutu”, que foi a forma como apelidei o tumor.

Foi a melhor experiência que tive. Senti uma conexão plena com Deus, e a certeza de que Ele estava cuidando de mim, de que Ele me dá tudo de que preciso, e de que tudo já estava certo, assim como a certeza de que a cura iria chegar.

Carol Pimentel, 38 anos, São Paulo.

Você não precisa nem deve fazer um jejum prolongado sem que antes tenha orientação e liberação do seu médico, principalmente se tomar medicações ou tiver qualquer doença. Todavia, é possível usufruir do jejum de maneira cíclica e progressiva. Naturalmente, a liberdade do corpo físico, emocional e espiritual se manifestará. Toda vez que dormimos, o jejum já é considerado. Então, se você conseguir parar a alimentação às 18h e retornar somente às 8h da manhã do dia seguinte, já terá feito 14 horas de jejum.

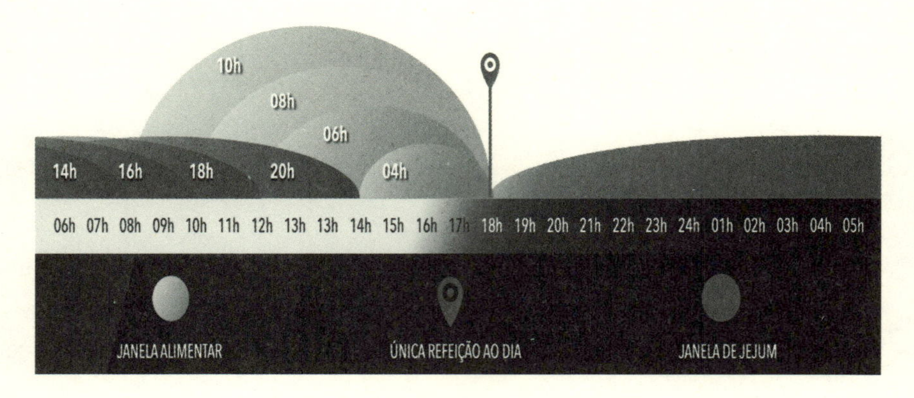

JANELA ALIMENTAR X JANELA DE JEJUM

OS RITOS TIBETANOS NO COMBATE À ANSIEDADE

Nesta batalha que você tem aprendido a travar contra a ansiedade a partir dos ensinamentos deste livro, a vitória não estará completa se você não puser seu corpo em movimento. A atividade física é, de longe, um dos pilares para a mudança de padrões fisiológicos e comportamentais responsáveis por protegê-lo da ansiedade.

Com base nisso, uma das práticas que considero das mais poderosas para que você domine sua ansiedade consiste nos ritos tibetanos, um conjunto de exercícios físicos baseados em movimentos criados há cerca de 2.500 anos. Quando aliados à respiração profunda, eles aumentam o fluxo sanguíneo e aquecem os músculos. Além disso, ao mesmo tempo melhoram a força e a postura.

Essas práticas milenares tornaram-se uma rotina de exercícios simplificada de monges no Tibete e na China. Os monges buscavam uma versão compacta de posturas que energizassem os plexos neuroendócrinos, chamados no Oriente de chakras, e funcionam basicamente como caixas de força do nosso corpo, promovendo a autocura, fortalecendo o corpo e equilibrando seus sistemas.

Os ritos tibetanos são compreendidos por cinco posturas de yoga (asanas) e por movimentos baseados em melhorar a conexão de energia do corpo através dos chakras.

Os chakras não são físicos. Eles são os aspectos da consciência que interagem com o corpo físico por meio de dois veículos principais: o sistema endócrino (que controla nossos hormônios) e o sistema nervoso. Cada um dos sete chakras está associado a uma das sete glândulas endócrinas e a um determinado grupo de nervos, denominado plexo. As glândulas endócrinas incluem a pineal, a pituitária, ovários, testículos, tireoide, paratireoide, hipotálamo e suprarrenais.

Assim, cada um desses chakras pode ser associado a partes específicas do corpo, como a cabeça, a garganta, o tórax, o estômago, entre outros, e a funções específicas do corpo controladas por aquele plexo ou glândula endócrina relacionada a esse chakra.

Os ritos tibetanos são capazes de equilibrar nossos hormônios, controlando o estresse e as emoções, estimulando o sistema nervoso autônomo e a digestão, além da resposta de descanso, que nutre todo o nosso corpo. As posturas agem diretamente sobre os órgãos endócrinos por meio de movimentos que massageiam e estimulam órgãos como rins, fígado e pâncreas, estimulando a produção e o fluxo hormonal. Já a respiração ajuda o hipotálamo e demais glândulas a equilibrar o sistema endócrino.

Quando os sete campos de energia estão em sincronia, ativos e girando na mesma velocidade, você se sente melhor, mais equilibrado mental, emocional e fisicamente.

INCLUINDO OS BENEFÍCIOS DOS RITOS TIBETANOS NO DIA A DIA

Para começar a incluir os ritos tibetanos no seu cotidiano e usufruir de seus inúmeros benefícios, dentre eles o alívio de dores no corpo, especialmente nas articulações, alívio dos sintomas da artrite, melhorias na saúde emocional e mental e maior sensação de bem-estar e equilíbrio, você precisará reservar apenas de dez a quinze minutos do seu dia. O ideal é que cada exercício seja repetido 21 vezes antes de passar para o próximo, mas essa é uma prática para a vida toda, então não é preciso ter pressa para chegar às 21 repetições.

A lista de benefícios é realmente imensa, e cada praticante observa melhorias em áreas de maior necessidade. Afinal, os ritos atuam para a sincronia da energia, e pessoas com depressão, ansiedade e medo conseguem, por meio dessa prática, ajustar os chakras e eliminar esses sintomas. O importante é que você comece e persista com os exercícios, a fim de colher todos os benefícios. Preste atenção a como seu corpo se sente e não force nada.

Durante a primeira semana, pratique cada rito três vezes ao dia. Adicione duas repetições por ritual na semana seguinte e continue adicionando duas repetições por rito a cada semana até que você esteja fazendo 21 rodadas de cada rito todos os dias.

OS CINCO RITOS TIBETANOS:

- Rito 1: Rotação;
- Rito 2: Supino para elevação da perna;
- Rito 3: Flexão de joelho;
- Rito 4: Pose da equipe para a mesa;
- Rito 5: Fluxo de cão voltado para cima e voltado para baixo.

É importante repetir os movimentos nessa sequência, para criar um efeito cíclico na respiração, nas emoções e no interior em geral.

Rito 1

O primeiro rito é usado para estimular os chakras e contribuir com o equilíbrio das emoções. Ele conecta centros de energia e constrói músculos centrais.

- Fique de pé com as costas o mais retas possível;
- Estenda os braços para fora, paralelos ao chão, com as palmas das mãos voltadas para o chão;
- Permanecendo no mesmo ponto, comece lentamente a girar seu corpo no sentido horário;
- Não incline a cabeça para a frente ou para trás;
- Mantenha os olhos abertos e fixos, olhando para a frente.

Rito 2

Este rito fortalece o abdome e estimula o centro de energia associado ao seu pâncreas. Se achar muito difícil de executar, você pode tentar realizá-lo dobrando os joelhos.

- Comece deitado de costas, com os braços dobrados ao lado do corpo e as palmas das mãos no chão;
- Respire fundo e tente levantar a cabeça, movendo simultaneamente o queixo em direção ao peito;
- Levante as pernas, mantendo os joelhos retos;
- Mantenha essa posição o máximo que puder e, em seguida, expire e abaixe lentamente a cabeça e as pernas no chão.

Rito 3

Este rito é realizado para abrir seu plexo solar (sistema de irradiação de nervos e gânglios), melhorar o desempenho do coração e da garganta e também equilibrar seus hormônios.

Tente fechar os olhos durante a realização deste exercício, o que o ajudará a se concentrar na respiração.

- Fique de joelhos no chão, com os ombros estendidos;
- Mantenha as palmas na parte de trás das coxas, nas nádegas ou abaixo delas;
- Inspire e arqueie a coluna e volte para trás, o que estenderá seu peito;
- Ao expirar, abaixe lentamente a cabeça para a frente.

Rito 4

O quarto rito tem como benefício o fortalecimento dos músculos da coxa e a melhora da capacidade respiratória.

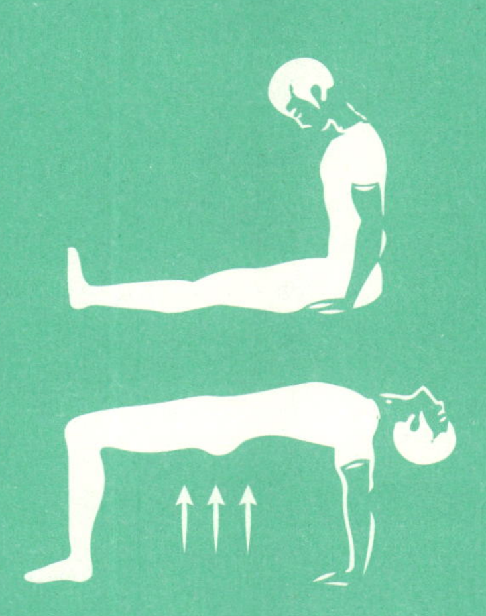

- Sente-se no chão com as pernas estendidas para a frente e os ombros estendidos;
- Coloque as palmas das mãos no chão ao lado do corpo;
- Inspire e abaixe suavemente a cabeça para trás, ao mesmo tempo que levanta os quadris e dobra os joelhos para ficar em uma posição semelhante a uma mesa;
- Mantenha essa posição o máximo que puder. Em seguida, expire e volte à posição inicial.

Rito 5

De acordo com o antigo texto tibetano, este rito ajuda a revitalizar sua alma, auxilia na circulação sanguínea e fortalece os músculos dos braços e das pernas. Se achar difícil fazer, você pode dobrar o joelho enquanto se move entre as posições.

- Fique de pé no chão com as pernas firmemente tocando o solo;

- Estenda os braços para cima e dobre o tronco tocando o chão com as mãos;
- Estenda os pés atrás de você, mantendo os ombros separados. Estique os braços e arqueie a coluna, mantendo a parte superior das pernas no chão;
- Abaixe sua cabeça dentro do arco;
- Inspire e abaixe os quadris para dentro, movendo o corpo em forma de "U" para baixo. Mova o queixo para cima em direção ao céu;
- Expire e volte para a forma de "V" de cabeça para baixo.

Um sono de boa qualidade, a prática do jejum e a aplicação dos cinco ritos tibetanos apresentados neste capítulo são ferramentas valiosíssimas no combate à ansiedade. Pare neste instante e se imagine livre dos sintomas tão conhecidos e tão desagradáveis: insônia, taquicardia, suor excessivo, nervosismo, estresse, descontrole do apetite, compulsões. Libertar-se de tudo isso é plenamente possível a partir de suas próprias escolhas e do enfrentamento de medos que não são capazes de te derrubar, haja vista a pequenez de sua real dimensão.

Opte hoje mesmo por viver livre do domínio da ansiedade, começando por implantar gradualmente cada um dos aprendizados deste e dos demais capítulos deste livro. Aposto que você logo me dirá que foi muito mais fácil do que havia imaginado.

MOMENTO COM O DR. JU

Neste momento quero que você mergulhe em você a partir das experiências a seguir.

1. Como você se sentiu ao aplicar os ritos tibetanos no seu dia a dia, e de que maneira você percebe a implementação desse novo hábito no seu cotidiano?

....

....

....

....

....

2. Neste momento eu quero que você pense em como você se sente a cada temporização de jejum, conforme mostrado na figura da página 192, aprendendo a desapegar das sensações e emoções que paralisam você no dia a dia e ao fazer o jejum. Descreva como está sendo a sua experiência nas janelas alimentares e nas janelas de jejum:

DIA 1

DIA 2

DIA 3

DIA 4

DIA 5

DIA 6

DIA 7

DIA 8

DIA 9

CAPÍTULO 8

O MILAGRE DA VIDA SEM ANSIEDADE

"Ele enxugará dos seus olhos toda lágrima. Não haverá mais morte, nem tristeza, nem choro, nem dor, pois a antiga ordem já passou."

(Ap 21:4)

Ao longo desta jornada, você foi apresentado à ansiedade como ela originalmente veio a este mundo e deveria ser: uma reação natural de proteção do indivíduo diante de estímulos que ativem seu instinto de sobrevivência. Contudo, o que a princípio deveria ser uma função biológica normal do ser humano tomou proporções gigantescas em decorrência de sua retroalimentação, a ponto de tornar-se um dos principais males do século XXI.

O MILAGR
DA VIDA SE
ANSIEDAD

Alimentada pelos medos, a ansiedade tem dominado mentes, corpos e espíritos em todo o mundo, desencadeando uma série de sintomas e doenças incapacitantes.

Contudo, conforme você pôde constatar, o fim da escravidão da ansiedade é possível, sim. A partir das atividades específicas compartilhadas neste livro, pode-se lançar um olhar mais profundo à existência e à percepção de que tudo ao seu redor que não o favorecia na realidade estava lá apenas para te fortalecer.

Então, independentemente do grau de ansiedade que você esteja enfrentando, é preciso deixar claro que o sofrimento não é um castigo divino, tampouco força do acaso. Cada um de nós é convidado diariamente a olhar para nosso interior de maneira profunda e ali encontrar nossa essência sagrada, aquela que nos conecta ao criador que manifesta a sua vida em todo o universo.

Se sua conexão está prejudicada, seja por algum dos sete medos ou por qualquer outra razão, não se preocupe. Para facilitar sua compreensão acerca de tudo o que discutimos e mostrar como organizar seu processo de transformação e reconexão com sua essência para uma vida livre de ansiedade, a partir de agora serão apresentados a você três elementos fundamentais que concentram não apenas o que você já aprendeu até agora, mas também o alicerce sobre o qual sua liberdade será forjada:

- A estrela da vida;
- A estrela da morte;
- A estrela do amor.

A **estrela da vida** é composta pelas sete saúdes que englobam todas as áreas da nossa vida. Ao conseguir equilibrá-las, você alcançará a saúde plena.

Ao analisar a **estrela da morte**, você será capaz de recapitular cada um dos sete medos anteriormente apresentados, compreendendo que cada eixo se interliga formando o medo principal: o medo da morte.

Contudo, você finalmente descobrirá que pode lançar fora cada um dos medos revelados, bem como todo e qualquer medo, por meio das sete virtudes que compõem a **estrela do amor**.

O funcionamento da estrela da vida é diretamente dependente da estrela do amor, que se contrapõe à estrela da morte. Assim sendo, acompanhe a seguir como cada uma delas funciona para que você conquiste uma vida em plenitude e livre de ansiedade.

AS SETE SAÚDES

Todos os meus alunos seguem um preceito de construção de uma vida plena baseada nas sete saúdes que envolvem áreas a serem trabalhadas diariamente em suas vidas, priorizando aquela que mais precisa ser impactada no estado presente. Essas saúdes interligam-se entre si, formando a estrela da vida.

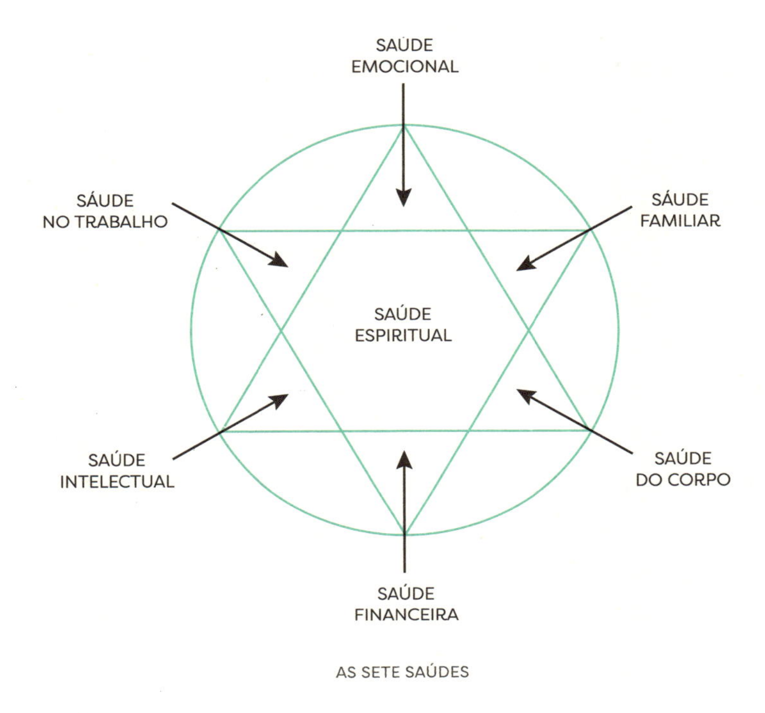

AS SETE SAÚDES

Observe que a primeira saúde a formar essa estrela é a **saúde emocional**, que é essencialmente um convite para um mergulho profundo dentro do coração e uma descoberta sobre como tudo que está dentro de você aflora no seu dia a dia. Ao passar a cuidar verdadeiramente de si, pergunte-se: De que maneira eu respondo às situações emocionais? Será que eu preciso de um olhar mais profundo sobre isso?

Em seguida, temos a **saúde intelectual**. Tenha em mente que o seu cérebro grava tudo o que lhe é exposto, então descubra como você o tem alimentado a partir de tudo o que está presente em seu cotidiano. Para entender como você alimenta seu cérebro, analise se você busca uma melhoria contínua, se faz cursos, lê livros e conhece pessoas novas. Se estiver sempre no mesmo ambiente, como poderá alimentar seu cérebro com novas informações?

Continuando, chegamos à **saúde do corpo**, que tem relação com todos os nossos sistemas de funcionamento: circulatório, digestivo, hormonal, imunológico e tantos outros. Portanto, para que não haja falhas sistêmicas, é vital que você se atente a como está o seu corpo, se ele anda fortalecido ou fragilizado, e se você tem feito o que seu corpo precisa para manifestar a saúde que deseja. Será que você está conseguindo ter o corpo que quer?

A estrela da vida não é composta apenas da saúde do corpo e da mente, pois, se o seu bolso estiver sendo afetado, um desequilíbrio na **saúde financeira** inevitavelmente afetará as demais. Como estão suas condições financeiras atualmente? Você atribui a saúde das suas finanças a que situação em sua vida? Será que ela tem relação com a sua ansiedade? E se você tivesse todo o dinheiro do mundo, será que desenvolveria uma nova ansiedade? Para entender como a situação financeira se relaciona com as demais, tenha em mente que ela está diretamente ligada a como você contribui de maneira positiva na vida do próximo, e a como você permite que o mundo retribua esse ato de servir em sua vida.

Próxima à saúde emocional está a **saúde familiar**, a qual demonstra como você se relaciona com os mais próximos, aqueles que o amam em sua essência. Normalmente, quando estamos em família, explodimos com mais facilidade por sabermos que o amor nesse ambiente é mais tolerante do que o mundo exterior. Como anda a sua família? Você tem um relacionamento sólido? Como é a sua relação com sua família não sanguínea, com aqueles que se importam contigo? Você consegue ter alguém ao seu lado? Você permite que vejam aquilo que há no mais profundo do seu coração? Entre você e seu cônjuge existem coisas que precisam ser ditas? Essa análise sobre como anda a sua saúde familiar é fundamental para verificar se as coisas estão em equilíbrio e o que precisa de cuidados.

Na outra ponta da saúde familiar está a **saúde do trabalho**, lugar que muitos reconhecem como sendo sua segunda casa – quando não a primeira. Caso nunca tenha parado para pensar sobre isso, o momento é agora: Você trabalha com aquilo que ama? Qual a sua relação com o que faz? Como você serve ao próximo? Você está satisfeito com o quanto recebe? O que tem feito para aprimorar seu ambiente de trabalho? O que tem feito para que seus resultados se aproximem dos seus sonhos? Muitas pessoas atualmente trabalham com o que não gostam, por um salário que não as satisfaz e, com isso, se veem vendendo seus dias para realizar o sonho de outrem.

Por fim, temos a saúde espiritual, que é a principal dentre as sete saúdes e abarca cada uma delas. Ela determina a forma como você "combate o bom combate" no dia a dia. Como está a sua relação com Deus? Existe Deus? Qual é a sua intimidade com as suas crenças? Você tem alguma religião? Você vive o que carrega em seu coração? Você se preocupa mais em julgar do que acolher em amor? A partir do momento que você manifestar sua saúde espiritual, conquistará a paz que transcende todo o entendimento.

FAZENDO A ESTRELA DA VIDA BRILHAR

Para que você mantenha a sua estrela da vida reluzente, sua primeira tarefa será identificar qual dessas saúdes está mais comprometida, e qual, por ordem de prioridade, precisa ser trabalhada. Reflita com cuidado e profundamente para que você perceba como seus medos se manifestam em cada uma das saúdes da sua vida.

"Mas, doutor, como identifico a saúde da qual mais preciso? Várias delas estão afetadas!"

Essa é uma das perguntas mais comuns que ouço. Você deverá olhar profundamente para sua vida e ver qual das sete saúdes tem maior impacto sobre as suas dores diárias. A manifestação da ansiedade em uma mulher que já foi traída, por exemplo, muitas vezes emana da desconexão com o marido e da não liberação de um perdão genuíno, ou da resolução desse perdão em sua vida.

Por falar em perdão, você sabe quando ocorre o perdão verdadeiramente? Ao contrário do que muitos pensam, perdoar não é esquecer, mas poder recordar o fato sem que ele tenha poder sobre o seu coração, sobre suas emoções, sobre seus sentimentos e sobre sua vida. Perdoar não é ser conivente com o erro e conviver com ele repetidamente. É você se ver livre da mágoa que permitiu que se instalasse em seu coração por alguém que lhe tenha machucado.

Imagine que um pardal jamais consegue afetar a existência de uma águia. Os planos de existência, o nível de percepção, o ambiente, a alimentação, tudo é diferente. Certa vez, durante um evento, uma seguidora me buscou aos prantos pedindo perdão após ter ouvido uma palestra minha, dizendo que me quis mal e que me xingou, entre outras coisas. Eu simplesmente sorri com leveza, olhei nos olhos dela e disse: "Todo o mal que você manifestou só existiu em seu coração. Toda a energia que você me doou é somente uma energia, que pode ser transformada no que eu quiser em minha vida". Em seguida, perguntei a ela o que a tinha levado a se sentir daquela maneira, e ela não soube responder. Então prossegui: "Você tem valores que não consegue manifestar em atos em sua vida. Eu não preciso te perdoar, nem sabia quem você era até três minutos atrás. Você tem que se perdoar por não servir em amor, mas em dor. Pessoas feridas ferem mesmo sem perceber".

Todo caminho é um convite à transcendência, mas nem todas as pessoas conseguem perceber a transcendência a todo momento. O perdão se manifesta quando o fato que levou sua vida ao sofrimento não tem mais poder sobre você nem sobre o seu coração. Dessa maneira, seu coração vive em paz por repousar eternamente em um amor que transcende o entendimento.

”

Algumas pessoas dizem que toda a sua ansiedade provém da falta de dinheiro. No entanto, já tratei muitos pacientes multimilionários que eram ansiosos. Outras dizem que a causa de sua ansiedade é a preocupação com os filhos, com os pais, com o trabalho ou mesmo com a pandemia de coronavírus.

Poderíamos ficar enumerando milhares de situações para você justificar sua vida limitada em uma ou mais das sete saúdes. O fato é que todos nós estamos aqui para aprendermos continuamente e, na realidade, nossa curva de aprendizagem só ocorrerá de maneira exponencial se entendermos que temos o direito de aprender constantemente com nossos erros. Só não podemos errar da mesma maneira. Dito isso, qual é a saúde mais importante para que você comece a trabalhar?

Inicialmente, você precisa olhar para as suas emoções, para o seu corpo, para a sua espiritualidade, para a forma como você se conecta ao trabalho em detrimento de todas as demais saúdes.

Como está a sua saúde intelectual? Quanto você estuda, lê e busca novas informações? Só de você estar lendo este livro, sua saúde intelectual já tem mais pontos do que a da grande maioria dos brasileiros.

O aprendizado sobre como cuidar de cada uma dessas saúdes não precisa ser pela dor se você aceitar que o amor é o caminho absoluto para vencer a estrela da morte em sua vida.

O AMOR SEMPRE VENCE A MORTE

Lembra que no início deste livro afirmei que para vencer o inimigo chamado ansiedade é preciso conhecer cada um de seus detalhes?

Você já sabe que a ansiedade é alimentada basicamente pelo medo. Então, para evidenciar cada uma de suas faces, conheça a **estrela da morte**.

Constituída pelos sete principais medos que pude observar ao longo da minha carreira como educador de saúde para mais de cem mil alunos em 67 países, essa estrela, apesar de existir, não precisa nem deve exercer domínio sobre a sua vida.

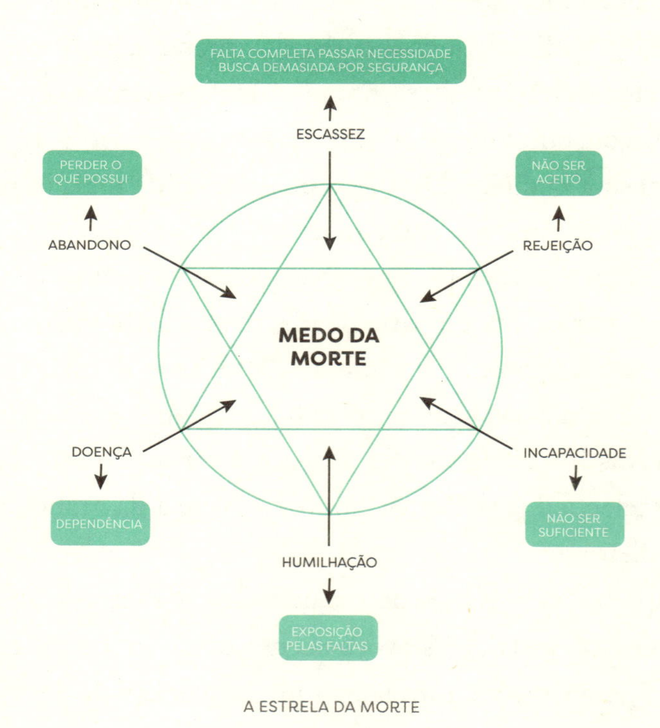

A ESTRELA DA MORTE

Ao longo de cada capítulo, você foi conhecendo todos esses medos um a um. Por meio de histórias reais, pôde observar como os medos da rejeição, da incapacidade, da doença, da humilhação, da escassez e do abandono podem culminar na mais sombria das dores de um ser humano: o medo da morte.

Você descobriu que "morrer de ansiedade" deixou de ser uma mera expressão para se tornar uma triste estatística. Mas também aprendeu que não precisa viver um terror em vida se estiver preparado para desarmar as armadilhas da ansiedade.

A cada momento desta jornada fiz a você um convite – um chamado, na verdade. Quando insisti "respire", "tome banho frio", "cuide da sua alimentação", "cuide de seu sono", "movimente seu corpo", era no sentido de te revelar um segredo a fim de desbloquear sua força mais poderosa: **o amor**.

A estrela do amor, apresentada a seguir, é a que deve reger o seu dia a dia para que as sete saúdes estejam em pleno equilíbrio e não haja espaço para que a estrela da morte destrua a sua vida.

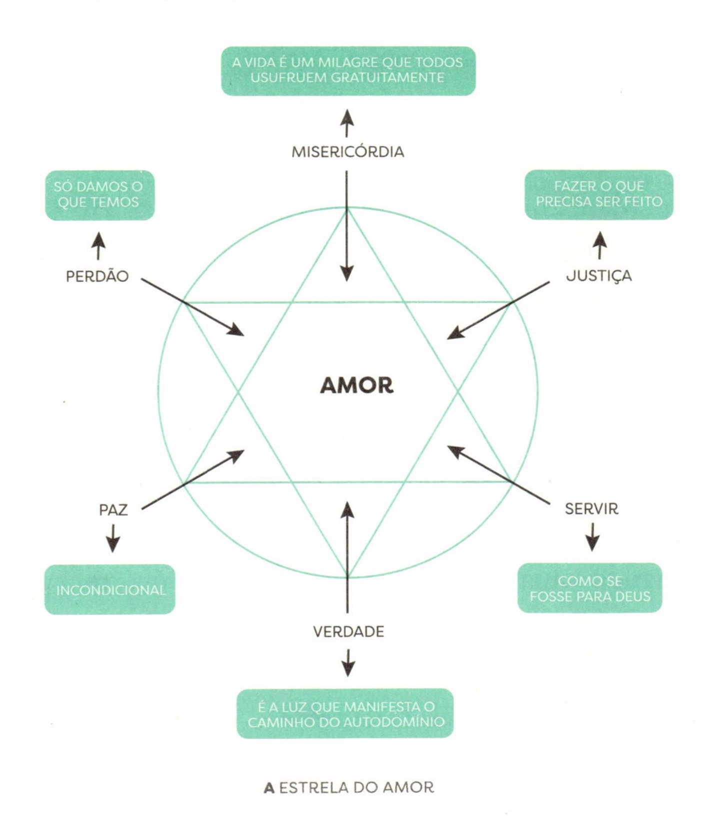

A ESTRELA DO AMOR

A nossa estrela do amor se inicia pela misericórdia. Perceba que todos nós só estamos vivos dentro dessa eterna abundância, desse eterno fluir que é a vida, por misericórdia. Por essa razão, quando estamos completamente desconectados da graça, não nos sustentamos de pé, a não ser pela misericórdia de Deus, pois, por mais que erremos, nós sempre teremos salvação aos olhos do Pai. Sendo assim, ao pensar que sempre haverá uma salvação quando acontecer a conversão do seu coração, você receberá um ar de esperança não no homem, mas naquele que criou todo o Universo.

Na ponta da justiça, vemos que nós fazemos o que precisa ser feito. Deus é justo em todas as suas coisas; a criação é toda justa. Algumas pessoas falam em ação e reação, mas, de uma maneira direta, se você parar para pensar, o universo é extremamente abundante, mas para colher os frutos você precisa entender o princípio da lei da semeadura e da abundância. Cuide daquilo que você planta em sua vida. Você está plantando em amor, justiça, perdão? Sua semeadura tem dado frutos? Ao viver nessa frequência abundante, entendendo quais são os princípios que regem o Universo e como você deve agir dentro dessa percepção, alcançará então a resposta de que precisa.

A justiça está em fazer o que precisa ser feito. Você pode querer liberdade financeira, por exemplo. Então, o que você precisa fazer para alcançar essa liberdade? Ou você pode querer paz de espírito; nesse caso, o que você precisa fazer para alcançar essa paz? Quando olha para si mesmo, do que você tem que abrir mão? O que você tem que fazer, quais pessoas tem que seguir? Quem ou o que precisa buscar? Pense sobre isso.

Ao chegarmos ao servir, entramos em movimento de agir para o próximo, e dentro dessa ação manifestamos o amor. Se nesse momento agimos como se fosse para Deus, para aquilo que mais valorizamos, nos entregamos e servimos da melhor maneira possível, seja o outro ou a nós mesmos. E isso, ao contrário do que alguns possam pensar, não nos trava, mas nos impulsiona. Com base nisso, observe se o que você tem feito em sua vida é fruto de amor genuíno. Caso não, a falta de impulso para o seu crescimento pode se tornar uma constante em seus dias.

Para que tenhamos uma vida leve, plena e livre de medo, precisamos carregar um coração leve, somente possível por meio do perdão, que caminha ao lado da misericórdia. No perdão, reconhecemos a limitação do outro sobre nós. Mas, se guardamos qualquer tipo de rancor sobre o outro, isso faz com que vivamos com medo de que aquele fato se repita, ou nos mantém numa relação de dor e pesar com esse outro, o que também limita a nossa existência, nos conduzindo uma vez mais ao medo. Você consegue perceber como se dá a retroalimentação do maior causador da ansiedade?

Já o estado de paz incondicional só é alcançado quando nos sentimos amados, porque o verdadeiro amor lança fora todo o medo. Essa paz, que transcende todo o entendimento, vem na presença do acolhimento também transcendental, aquele que nos envolve no que extrapola o que entendemos, conhecemos e percebemos. É aquele momento em que todo mundo diz: "Mas como fulano ou beltrano está de pé?". Ele está de pé porque o que o mantém assim vem além dele, vem por meio da misericórdia, da paz, do improvável, e assim a verdade se manifesta.

Chegamos, por fim, à outra ponta da estrela do amor: a verdade. Quando encaramos a verdade, deparamos com as coisas como elas são. Na verdade não existe medo, porque o medo é apenas uma criação da mente. Na verdade existe um fato em nossa relação com ele, independentemente da dor ou do prazer que ele proporcione, e quando estamos expostos à verdade, manifestamos um caminho que demanda autodomínio. É dentro desse autodomínio que conseguimos a liberação e a conexão plena em amor.

MOMENTO COM O DR. JU

Bem-vindo ao último momento com o Dr. Ju neste livro! Convido você a acessar este QR Code e ver o recado que gravei especialmente para você antes que responda às últimas perguntas a seguir.

1. Você já passou por situações em que foi difícil se acalmar? Como ocorreu? Por quanto tempo isso se manteve? Com que frequência isso acontece em sua vida?

2. Você sente que está sempre nervoso? Como isso ocorre? Por quanto tempo esse estado se mantém? Com que frequência isso acontece em sua vida?

3. Você já se preocupou com situações em que pudesse entrar em pânico e parecer ridículo? Como isso ocorreu? Por quanto tempo isso se manteve? Com que frequência isso acontece em sua vida?

4. Você já teve dificuldades para relaxar? Como isso ocorreu? Por quanto tempo isso se manteve? Com que frequência isso acontece em sua vida?

Um fato que precisa ser entendido é que o amor lança fora todo medo, e todo ciclo de dor só acaba com amor. Sendo assim, a partir do momento que você aceitar em amor cada uma das mudanças aqui propostas, sua vida finalmente estará livre da escravidão da ansiedade.

”

EPÍLOGO

A RESPOSTA DO PARA QUÊ

"Amai-vos uns aos outros como eu vos amei. Somente assim podereis ser reconhecidos como meus discípulos."

(Jo 13:34-35)

No início deste livro, compartilhei a história da minha esposa Carol e a descoberta do câncer de mama logo após o nascimento da nossa filha. Mas a batalha para combater o tumor de sete centímetros que atingira a sua mama esquerda não seria a única a ser travada, pois durante o tratamento oncológico Carol sofreu ainda com uma nova condição chamada hérnia de Petersen, que é uma complicação da cirurgia bariátrica. O tratamento com a quimioterapia ainda não havia acabado e minha esposa deu entrada no hospital às pressas, tendo que ser submetida a uma cirurgia de emergência.

A RESPOST
DO PARA QU

No início deste livro, compartilhei a história da minha esposa Carol e a descoberta do câncer de mama logo após o nascimento da nossa filha. Mas a batalha para combater o tumor de sete centímetros que atingira a sua mama esquerda não seria a única a ser travada, pois durante o tratamento oncológico Carol sofreu ainda com uma nova condição chamada hérnia de Petersen, que é uma complicação da cirurgia bariátrica. O tratamento com a quimioterapia ainda não havia acabado e minha esposa deu entrada no hospital às pressas, tendo que ser submetida a uma cirurgia de emergência.

Como já compartilhei com você, um dos maiores medos do ser humano, senão o maior, é o medo da morte, e foi ali, naquele momento, que Carol enfrentou esse medo, pois ela teve que interromper a quimioterapia, à qual estava respondendo bem, em seguida foi parar na UTI, e então foi submetida não apenas a uma, mas a duas cirurgias abdominais de emergência por obstrução intestinal. Da primeira vez que tudo aconteceu, saímos no meio da madrugada da nossa casa no interior de São Paulo até a capital, ela sedada no carro, e quando chegamos à emergência Carol já estava em um quadro de pré-infarto em razão de um desequilíbrio hidroeletrolítico causado pela baixa de potássio em seu sangue. Ela entrou em estado de sofrimento das alças intestinais, e a estabilização do quadro ocorreu bem lentamente, fazendo com que ela fosse submetida à cirurgia somente depois da meia-noite daquele dia que parecia interminável.

Mesmo enfrentando um câncer descoberto logo após dar à luz, minha esposa passou pela cirurgia abdominal, mas a sensação de alívio praticamente não durou nada, pois assim que saiu a sua alta e fomos embora do hospital, voltamos para lá em menos de dez horas por conta de uma nova obstrução intestinal. Carol volta ao centro cirúrgico e se submete a uma segunda cirurgia abdominal.

No total, foram 21 dias de internação no hospital. Durante todos aqueles dias na UTI, ela chegou no seu extremo baixo peso, tendo que receber três transfusões sanguíneas e suportar todas as complexidades da sua recuperação sendo ainda uma paciente oncológica. Aquele momento foi marcado pelo seu maior medo de morrer. Enquanto seguia da UTI para o centro cirúrgico, lembro-me dela dizendo: "Pai, em tuas mãos eu entrego a minha vida. Faça o que o Senhor quiser". Então ela me olhou e disse: "Esteja comigo na cirurgia rezando, amor, porque eu já entreguei a minha vida para Deus".

Oração de São Francisco
Senhor,
Fazei de mim um instrumento de vossa Paz.
Onde houver Ódio, que eu leve o Amor,
Onde houver Ofensa, que eu leve o Perdão.
Onde houver Discórdia, que eu leve a União.
Onde houver Dúvida, que eu leve a Fé.
Onde houver Erro, que eu leve a Verdade.
Onde houver Desespero, que eu leve a Esperança.
Onde houver Tristeza, que eu leve a Alegria.
Onde houver Trevas, que eu leve a Luz!
Ó Mestre,
fazei que eu procure mais:
consolar, que ser consolado;

compreender, que ser compreendido;
amar, que ser amado.
Pois é dando, que se recebe.
Perdoando, que se é perdoado e
é morrendo, que se vive para a vida eterna!
Amém

A maior possibilidade de entender a morte é morrer para os seus medos, e é morrendo que se vive para a vida eterna. Quando morremos para os nossos medos, o medo da morte só se esvai quando você tem um estado de presença plena em conexão com Deus.

Depois de ter vencido a batalha contra as obstruções intestinais, Carol volta pela terceira vez para a mesa de cirurgia, desta vez para encarar a mastectomia. E por ter parado a quimioterapia – ela ainda tinha duas sessões de quimio antes da internação em função da hérnia que sofrera –, o seu próprio médico não estava mais acreditando que seria possível combater o tumor com o tratamento, pois ainda oscilava entre dois e dois centímetros e meio de tamanho. Todos acreditavam que ela havia chegado para a cirurgia abdominal ainda com o tumor na mama, e na ocasião nenhum exame de imagem foi repetido depois da cirurgia. Então, o que acontece quando Carol volta para o hospital e o procedimento para a mastectomia começa a ser realizado? Não havia mais a presença de células cancerígenas.

Quando ela saiu da sedação e eu contei que não havia mais tumor, Carol percebeu que toda aquela trajetória, independentemente de como tenha sido, valeu a pena, pois da maneira que a gente acolheu cada acontecimento, fazendo tudo o que era possível dentro da medicina e da espiritualidade, foi como se recebêssemos tudo aquilo como uma dádiva. O milagre finalmente fora alcançado.

Foi assim que tivemos enfim a nossa resposta do "para quê". Afinal, para que Carol despertasse, ela precisou passar por toda essa travessia de cura e libertação. Para que houvesse o despertar dela na fé e em intimidade com Deus, para que a gente trabalhasse em comunhão dentro da nossa família durante esse enfrentamento de uma doença mortal, e ajudássemos milhares de pessoas a partir do momento que decidimos expor ao mundo todo o processo que estávamos vivendo, passando pelas turbulências com amor e leveza, e mostrando para as pessoas que é possível sobreviver a tudo isso sem se perder no caminho, foi preciso que morrêssemos para os nossos medos para entender verdadeiramente o que era o amor incondicional e assim viver a vida eterna.

Quando vivemos a experiência do amor incondicional, conseguimos ter em nossa vida a manifestação do servir, a verdade, a misericórdia, o perdão, a justiça e a paz que transcende o entendimento.

Agora, imagine cada área da vida plena sendo criada com base nesse tipo de energia que permeia a todos nós. Alcançamos um caminho que manifesta a verdade pelo que é, por meio do autodomínio, o domínio do próprio coração. Agora, você já sabe qual essência deve manifestar em seu ser e por onde começar.

Toda a jornada que traçamos até aqui abre agora a clareira que você precisava para enxergar a si mesmo e então trilhar seus próprios passos rumo a uma vida sem o peso da ansiedade. Espero que tenha gostado dessa jornada, e se quiser se aprofundar mais no tema, venha fazer parte de nossos cursos.

Um beijo no coração e um abraço na alma!

RECADO IMPORTANTE: SURPRESA FINAL!

Veja este último vídeo que gravei especialmente para você para consolidar todas as conquistas que você teve até aqui.

REFERÊNCIAS

Berthelot E, Etchecopar-Etchart D, Thellier D, Lancon C, Boyer L, Fond G. Fasting Interventions for Stress, Anxiety and Depressive Symptoms: A Systematic Review and Meta-Analysis. *Nutrients.* 2021 Nov 5;13(11):3947. doi: 10.3390/nu13113947. PMID: 34836202; PMCID: PMC8624477.

Brown RP, Gerbarg PL. Yoga breathing, meditation, and longevity. *Ann N Y Acad Sci.* 2009 Aug;1172:54-62. doi: 10.1111/j.1749-6632.2009.04394.x. PMID: 19735239.

Buijze GA, Sierevelt IN, van der Heijden BC, Dijkgraaf MG, Frings-Dresen MH. The Effect of Cold Showering on Health and Work: A Randomized Controlled Trial. *PLoS One.* 2016 Sep 15;11(9):e0161749. doi: 10.1371/journal.pone.0161749. Erratum in: PLoS One. 2018 Aug 2;13(8):e0201978. PMID: 27631616; PMCID: PMC5025014.

Campanelli S, Tort ABL, Lobão-Soares B. Pranayamas and Their Neurophysiological Effects. *Int J Yoga.* 2020 Sep-Dec;13(3):183-192. doi: 10.4103/ijoy.IJOY_91_19. Epub 2020 Sep 13. PMID: 33343147; PMCID: PMC7735501.

Foster JA, McVey Neufeld KA. Gut-brain axis: how the microbiome influences anxiety and depression. *Trends Neurosci.* 2013 May;36(5):305-12. doi: 10.1016/j.tins.2013.01.005. Epub 2013 Feb 4. PMID: 23384445.

Govindaraj R, Karmani S, Varambally S, Gangadhar BN. Yoga and physical exercise – a review and comparison. *Int Rev Psychiatry.* 2016 Jun;28(3):242-53. doi: 10.3109/09540261.2016.1160878. Epub 2016 Apr 4. PMID: 27044898.

Gudden J, Arias Vasquez A, Bloemendaal M. The Effects of Intermittent Fasting on Brain and Cognitive Function. *Nutrients.* 2021 Sep 10;13(9):3166. doi: 10.3390/nu13093166. PMID: 34579042; PMCID: PMC8470960.

Hamm AO. Fear, anxiety, and their disorders from the perspective of psychophysiology. *Psychophysiology*. 2020 Feb;57(2):e13474. doi: 10.1111/psyp.13474. Epub 2019 Sep 16. PMID: 31529522.

Jayawardena R, Ranasinghe P, Ranawaka H, Gamage N, Dissanayake D, Misra A. Exploring the Therapeutic Benefits of Pranayama (Yogic Breathing): A Systematic Review. *Int J Yoga*. 2020 May-Aug;13(2):99-110. doi: 10.4103/ijoy.IJOY_37_19. Epub 2020 May 1. PMID: 32669763; PMCID: PMC7336946.

Lessan N, Ali T. Energy Metabolism and Intermittent Fasting: The Ramadan Perspective. *Nutrients*. 2019 May 27;11(5):1192. doi: 10.3390/nu11051192. PMID: 31137899; PMCID: PMC6566767.

Méchin O. Angoisse, peur et panique en temps de crise sanitaire [Anxiety, fear and panic in the time of a health crisis]. *Soins*. 2021 Jun;66(856):49-52. French. doi: 10.1016/S0038-0814(21)00165-1. PMID: 34187656.

Oei TP, Sawang S, Goh YW, Mukhtar F. Using the Depression Anxiety Stress Scale 21 (DASS-21) across cultures. *Int J Psychol*. 2013;48(6):1018-29. doi: 10.1080/00207594.2012.755535. Epub 2013 Feb 21. PMID: 23425257.

Peirce JM, Alviña K. The role of inflammation and the gut microbiome in depression and anxiety. *J Neurosci Res*. 2019 Oct;97(10):1223-1241. doi: 10.1002/jnr.24476. Epub 2019 May 29. PMID: 31144383.

Shi L, Deng J, Chen S, Que J, Sun Y, Wang Z, Guo X, Han Y, Zhou Y, Zhang X, Xie W, Lin X, Shi J, Lu L. Fasting enhances extinction retention and prevents the return of fear in humans. *Transl Psychiatry*. 2018 Oct 9;8(1):214. doi: 10.1038/s41398-018-0260-1. PMID: 30301955; PMCID: PMC6177454.

Simpson CA, Diaz-Arteche C, Eliby D, Schwartz OS, Simmons JG, Cowan CSM. The gut microbiota in anxiety and depression

A systematic review. *Clin Psychol Rev.* 2021 Feb; 83:101943. doi: 10.1016/j.cpr.2020.101943. Epub 2020 Oct 29. PMID: 33271426.

Tinsley GM, La Bounty PM. Effects of intermittent fasting on body composition and clinical health markers in humans. *Nutr Rev.* 2015 Oct;73(10):661-74. doi: 10.1093/nutrit/nuv041. Epub 2015 Sep 15. PMID: 26374764.

Tovote P, Fadok JP, Lüthi A. Neuronal circuits for fear and anxiety. *Nat Rev Neurosci.* 2015 Jun;16(6):317-31. doi: 10.1038/nrn3945. Erratum in: Nat Rev Neurosci. 2015 Jul;16(7):439. PMID: 25991441.

Van de Wouw, M., Schellekens, H., Dinan, T. G., & Cryan, J. F. (2017). Microbiota-Gut-Brain Axis: Modulator of Host Metabolism and Appetite. *The Journal of Nutrition*, 147(5), 727–745. doi:10.3945/jn.116.240481

Verma D, Wood J, Lach G, Herzog H, Sperk G, Tasan R. Hunger Promotes Fear Extinction by Activation of an Amygdala Microcircuit. *Neuropsychopharmacology.* 2016 Jan;41(2):431-9. doi: 10.1038/npp.2015.163. Epub 2015 Jun 11. PMID: 26062787; PMCID: PMC4579557.

Wong ML, Inserra A, Lewis MD, Mastronardi CA, Leong L, Choo J, Kentish S, Xie P, Morrison M, Wesselingh SL, Rogers GB, Licinio J. Inflammasome signaling affects anxiety - and depressive-like behavior and gut microbiome composition. *Mol Psychiatry.* 2016 Jun;21(6):797-805. doi: 10.1038/mp.2016.46. Epub 2016 Apr 19. PMID: 27090302; PMCID: PMC4879188.

Livros para mudar o mundo. O seu mundo.

Para conhecer os nossos próximos lançamentos
e títulos disponíveis, acesse:

www.**citadel**.com.br

/citadeleditora

@citadeleditora

@citadeleditora

Citadel – Grupo Editorial

Para mais informações ou dúvidas sobre a obra,
entre em contato conosco por e-mail: